Copyright © 2010 bij Uitgeverij De Eekhoorn BV, Oud-Beijerland

CIP-gegevens Koninklijke Bibliotheek, Den Haag

Kan Hemmink, Henriëtte

4-Ever Dance – Nooit opgeven/ Henriëtte Kan Hemmink
Internet: www.eekhoorn.com
Redactie: Brigitte Akster
Eindredactie: Cindy Klompenhouwer
Vormgeving: Met DT, Zwijndrecht

ISBN 978-90-454-1409-6/ NUR 283

4Ever Dance

Nooit opgeven!

Henriëtte Kan Hemmink

De Eekhoorn

Bedankt, Aniek Achterkamp en Sarien Westenberg!

Jullie hebben mij heel veel verteld over het dansen.
Maar vooral veel laten zien.
Wat ik heel bijzonder vind, is jullie passie voor het dansen!
De titel van de serie slaat dan ook helemaal op jullie.

4Ever Dance!

1

De aankomst

Langzaam rijdt de zwarte taxi de straat in.

Een blonde vrouw naast de chauffeur zet een zonnebril met donkere glazen op haar neus. Met ingehouden adem wacht ze af wat er gebeuren gaat.

De chauffeur haalt zijn voet van het gaspedaal.

'Zijn we er?' vraagt ze met een zwaar Duits accent.

Hij knikt en rijdt naar een kleine parkeerplaats.

De ogen van de vrouw glijden vluchtig langs de gevel van een naargeestig, monumentaal pand. Ze hoopt dat hij geen vragen zal stellen.

'Geen luxe hotel,' zegt de chauffeur.

'Een klein appartement dat uit twee kamers bestaat. Meer heb ik niet nodig,' antwoordt ze.

Als de chauffeur de autosleutel omdraait, valt er een ongemakkelijk stilte.

'Een prima plek,' voegt ze er mompelend aan toe.

De chauffeur kijkt aandachtig naar de vrouw.

Zij draait haar hoofd de andere kant op.

Zou hij haar herkennen?

2

Vampierzus!

'Een masker nodig?'

Chrissy van Dungen werpt een geërgerde blik opzij. 'Hoezo?'

'Niet in de spiegel gekeken?'

'Nee.'

'Doen!' Chrissy's broer kijkt haar uitdagend aan. 'Maar, het
kan schokkend zijn.'

Ze loopt naar de koelkast om een beker karnemelk in te
schenken.

'Ik ben serieus,' waarschuwt Robin.

'Shut up!'

'Als ik jou was…'

'Kop houden!' snauwt Chrissy. Ze drinkt haar beker leeg
en verdwijnt met opgeheven hoofd naar de hal waar een
spiegel hangt. Als ze merkt dat Robin haar volgt, gaat ze
naar boven en knalt de deur dicht.

Een schilderijtje in de gang beweegt zachtjes langs de muur
heen en weer.

'Pubertje!' schelt Robin.

Chrissy pakt een spiegeltje van het bureau om haar gezicht
te inspecteren. Met een blik vol afgrijzen kijkt ze naar de
donkere kringen onder haar ogen. Toen ze na het douchen
mascara op haar wimpers aanbracht, heeft ze die wallen
niet opgemerkt.

'Shit!'

Wat moet ze doen? Veel tijd is er niet meer!

Chrissy bevochtigt twee wattenschijfjes en drukt ze
tegen haar gesloten oogleden. Ze heeft ergens gelezen dat

koele kompressen de wallen onder je ogen laten verdwijnen.
Of moest je daarvoor schijfjes komkommer gebruiken?
Er wordt op de deur geklopt.
'Nee!'
Annelies, de moeder Chrissy, vraagt vannachter de gesloten deur wat er aan de hand is.
'Niks.'
'Klapte de deur uit zichzelf hard dicht?'
'Wat denk je?'
'Deed Robin kinderachtig?'
Chrissy klemt haar kaken op elkaar.
'Zenuwachtig?'
'Laat me nou!'
Soms tonen moeders op de juiste momenten begrip. Dit is zo'n bijzonder moment. Annelies stelt geen vragen en laat haar dochter met rust.
Anderhalve minuut later haalt Chrissy de wattenschijfjes van haar ogen en gooit ze met een boog in de prullenbak.
Kwart over negen.
Ze zou nu wel naar de dansacademie willen, maar doet het niet. De gedachte om in haar eentje in het fietsenhok te moeten wachten, lokt haar niet.
Robin, die in Atheneum 3 zit, stelde gisteren voor om samen naar school te fietsen. De schoolgebouwen liggen bij elkaar in de buurt. Zijn aanbod heeft ze beleefd afgewimpeld.
'Ander keertje,' had ze geantwoord.
'Durf je niet?'
'Ik wil er niet zo vroeg zijn.'
'Je wilt niet dat anderen zien dat je door je grote broer gebracht wordt!'
'Daar gaat het niet om. Jij moet een kwartier eerder beginnen.'

'Je hoeft je voor mij niet te schamen.'

'Doe ik wel.'

'Tot de hoek,' stelt hij voor. 'Deal?!'

'Ik ga alleen!'

Robin is haar enige broer. Hij is vijftien, heeft donker haar, bruine ogen en lijkt sprekend op zijn moeder. Chrissy heeft lang blond haar en blauwe ogen.

'Veel plezier!' roept Robin, 'Struikel niet over je platvoeten, want dan kun je het dansen op je buik schrijven!'

Chrissy wacht, hangend met haar bovenlichaam uit het geopende slaapkamerraam, tot Robin over het tuinpad naar de straat fietst. Ze houdt een bloempot dreigend boven zijn hoofd.

'Durf je niet!' jent hij.

'Oh, nee?'

'Zonde van de bloempot.'

'Dat is waar.' Chrissy zet de pot terug en zwaait.

Robin blijft fronsend staan. 'Wat heb je gedaan?!' Hij maakt een nadrukkelijk gebaar naar zijn ogen.

Chrissy loopt bij het raam weg.

Wanneer ze beneden is, gaat haar telefoon.

Het is Robin.

Chrissy drukt hem weg. Hij moet ophouden met die flauwe geintjes.

Vandaag is heftig!

Zij is één van de weinigen die niet naar het gewone voortgezet onderwijs gaat. Ze is op Dans Academie Roosburch toegelaten! Dat is een bijzondere opleiding. Het was haar droom om verder te gaan met dansen. Pas aan het eind van de basisschool durfde ze het aan haar ouders te vertellen. Samen hebben ze de mogelijkheden bekeken.

Het toeval wil dat er in het pittoreske stadje Roosburch een echte dansacademie staat. Nadat er voldoende informatie was verzameld, werd Chrissy in het voorjaar uitgenodigd om auditie te doen. Een zenuwslopende tijd. Maar het is gelukt; haar droom is uitgekomen!

Hoewel er geen enkele reden is om tegen deze eerste dag op te zien, is Chrissy bloednerveus.

Dans Academie Roosburch heeft sinds kort een nieuwe opleiding waar je het reguliere voortgezet onderwijs kunt volgen. Bepaalde vakken waaronder handvaardigheid, techniek en gymnastiek vervallen. Dat zijn dus dansuren! Bestaat er iets leukers?!

Robin belt opnieuw.

Ze negeert zijn telefoontje en pakt haar jas.

'Pap, mam!' roept ze uitgelaten. 'Ik ga mijn lesrooster ophalen!'

Annelies en Peter zitten in de keuken. Voordat ze de kans krijgen nog iets tegen haar te zeggen, staat Chrissy al buiten.

Onderweg krijgt ze een sms'je van Robin.

Ze aarzelt.

Zal ze het berichtje lezen?

Eigenlijk is het niets voor Robin om zo vaak te bellen.

Zou er iets zijn?

Herhaalde waarschuwing:
Kijk in de spiegel.
Een drama: Vampierzus!

Waar slaat dit op?

Met een zucht laat ze haar telefoon in haar jaszak glijden.

Hij kan barsten.

Bij het kruispunt moet ze wachten voor het rode licht.

Twee jongens van een jaar of zestien komen met hun fietsen naast haar staan.

'Cool,' merkt de langste op terwijl hij Chrissy strak aankijkt. 'Halloween gevierd?'

Chrissy tuurt recht voor zich uit en keurt de jongens geen blik waardig.

Haar hart klopt in de keel.

Als het licht op groen springt, gaat ze er als eerste vandoor.

Wat is er aan de hand?

De groeten!

Geeuwend stapt Sara Duinhoven uit bed. Ze schuift de gordijnen open en laat haar blik over de landerijen dwalen. Nog steeds is ze niet aan de weidsheid van het platteland gewend. Achter de woonboerderij grazen koeien en een paar schapen.

Aan de waterplassen op het erf ziet ze dat het vannacht geregend heeft. Bezorgd kijkt ze naar de lucht en doet een schietgebedje. Ze hoopt dat het droog blijft. Sara moet op de fiets naar Roosburch en wil de eerste dag niet als een verzopen kat bij de dansacademie aankomen.

Maanden heeft ze naar deze dag uitgekeken. Nu het zo ver is, heeft ze geen zin.

Ze loopt terug naar haar bed en gaat op het randje zitten. Sara voelt zich in de steek gelaten! Ze probeert het gevoel te negeren, maar dat lukt niet. Het gevoel komt zomaar opeens opzetten. Het maakt haar razend.

Beneden in het huis klinken de zachte stemmen van haar oom en tante.

Hoewel ze het nooit recht in Sara's gezicht verteld hebben, vinden ze het maar niks dat ze naar Dans Academie Roosburch gaat.

Weken geleden luisterde ze een telefoongesprek af dat haar tante Esther met een vriendin voerde.

'We hoopten dat ze afgewezen zou worden voor de dansacademie. Maar helaas! De auditie is goed verlopen en ze mag naar die speciale school. We zijn er niet echt blij mee. Met dansen valt geen droge boterham te verdienen.'

Sara was woest!

De huichelaars!

Tegenover anderen scheppen ze op over Sara's danstalent en doen alsof ze het geweldig vinden dat ze op de academie is aangenomen.

Sara is er al lang achter dat de wereld anders is dan het lijkt.

Ze zucht.

Buiten is het nog steeds droog. Goed zo! Van regen wordt ze chagrijnig.

Na een snelle douche, kleedt ze zich aan. Ze kiest voor een witte broek met daarover een zwart truitje.

Het staat haar goed.

De mode industrie zal aan haar weinig geld verdienen. Ze blijft trouw aan haar eigen smaak en laat zich niet verleiden door modetrends.

Esther staat onderaan de trap en vraagt wanneer ze beneden komt.

'Ik weet hoe laat het is!'

Ze is geen klein kind zeg.

'Agenda, etui...' Sara controleert de inhoud van haar tas en loopt dan met tegenzin de trap af.

Ze zou blij moeten zijn, maar onzekerheid overheerst.

Dansen maakt haar blij, maar tegelijk kwetsbaar. Dat hoeven anderen niet te zien!

'Geroosterd broodje?' Esther neemt haar afwachtend op.

Sara kijkt naar de broodrooster en ziet dat er twee boterhammen in zitten.

'Nee.'

'Ik heb ze er al in gedaan.'

'Jammer, dan.'

Esther opent haar mond, maar woorden blijven achterwege.

Sara schenkt voor zichzelf een thee in. Met het kopje tussen beide handen geklemd, gaat ze voor het keukenraam staan en keert Esther opzettelijk de rug toe.

'Spannende dag voor je...'

'Valt mee,' onderbreekt Sara.

'Niet leuk?'

'Natuurlijk wel!'

'Je leert nieuwe mensen kennen. Allemaal dansers.'

'Ja, interessant.'

Esther laat zich niet uit het veld slaan. Ze kent Sara en weet dat die onverschillige houding na een paar minuten meestal weer verdwijnt.

Vanaf het moment dat Sara bij hen is komen wonen, wist ze dat het niet gemakkelijk zou zijn. Ze is een meisje met gebruiksaanwijzingen!

Voorzichtig neemt Sara een slokje van de hete thee.

'Ik moest je van Martin succes toewensen.'

Sara draait zich fronsend om. 'Succes?'

'Voor vandaag,' verduidelijkt ze.

'O, ja? Vindt hij het dan leuk dat ik naar de dansacademie ga?'

Esther schudt verontwaardigd haar hoofd.

Sara tuurt naar buiten. Het is niet moeilijk om een knallende ruzie te veroorzaken.

Tante Esther en oom Martin zullen nooit toegeven dat ze Sara's 'dansdroom' niet ondersteunen.

'Lunchpakket mee?'

'Ik haal vandaag alleen mijn lesrooster op. Meer niet.'

'Ik dacht...' Esther onderbreekt zichzelf en trekt het snoer van de broodrooster uit het stopcontact. 'Je moet het zelf weten.'

'Dacht ik ook,' mompelt ze.

Esther ruimt de tafel af.

Sara helpt niet. Ze vraagt zich af wie ze kan vertrouwen. Niemand, toch?

Als het er op aan komt, heb je alleen jezelf.

Ze wil dansen! Dat is het enige wat ze kan.

'Denk je aan de tijd?' hoort ze Esther met zachte stem zeggen.

'Zie ik er zo stom uit?'

'Ik zou niet willen dat je te laat komt.'

'Mijn probleem.'

Sara poetst haar tanden.

Het bonzen in haar maag wordt erger. Over een half uur moet ze in lokaal 1D van de dansacademie zijn!

Wanneer Sara naar buiten gaat, loopt haar tante mee.

Waarom doet ze dat?

'Je hoeft niet mee om mijn hand vast te houden.' Haar stem klinkt bits.

Als ze weg fietst, vullen Esthers ogen zich met tranen.

Het duurt ongeveer twintig minuten om in het centrum van Roosburch te komen.

Sara is ruimschoots op tijd.

De donkere wolken zijn overgewaaid. Schietgebedjes helpen écht!

Wanneer Sara een grote regenplas wil ontwijken, slingert ze gevaarlijk met haar fiets. Haar voet glijdt van de trapper en met een harde klap komt ze tot stilstand tegen de bumper van een witte stilstaande auto. Het stuur stoot tegen haar maag.

'Au.' Geschrokken staat ze een paar tellen naast haar fiets. Haar maag en enkel doen pijn.

Ze moet hier weg! Het stuur staat scheef, maar dat maakt niet uit.

De deur van de auto zwaait open op het moment dat ze er

langs fietst. Een man met een grote snor en een kaal hoofd stapt uit de wagen.

'Waar gaan we naar toe?'

'Weg.'

'Ik dacht het niet.'

'Ik heb haast,' mompelt ze.

'Interesseert mij niet.' De man loopt naar de achterzijde van zijn auto.

'Er zit geen deuk in! Dat had ik al gezien!'

'Hoe heet je?'

Duh! Sara staart hem een ogenblik geschrokken aan.

'De groeten,' mompelt ze en gaat er vandoor.

Dans Academie Roosburch ligt aan de rand van het centrum en is gebouwd op de fundamenten van een oud kasteel. Restanten van de middeleeuwse vesting zijn op bijzondere wijze in de nieuwbouw verwerkt. Het achterste deel is intact gebleven en gerestaureerd. De ridderzaal op de eerste etage is omgebouwd tot een prachtige danszaal. De oude balken in de danszaal worden prachtig benadrukt door het daglicht dat door talloze ramen naar binnen valt.

Toen Chrissy na de auditie een rondleiding door het gebouw kreeg, keek ze haar ogen uit. Ze weet zeker dat het heerlijk zal zijn om daar te mogen dansen. Als ze er aan denkt, voelt ze kriebels in haar buik. Ooit zal er een moment komen dat ze daar in die zaal haar eerste dansoptreden zal geven.

In de verte, tussen de daken van de monumentale huizen door, kan ze een glimp van de kasteeltoren opvangen.

Een meisje dat twintig meter voor haar fietst, maakt een nerveuze indruk. Ze kijkt af en toe over haar schouder.

Wordt ze achtervolgd?

Chrissy ziet niets verdachts.

Plotseling rijdt het meisje de stoep op.

Chrissy hoort een auto afremmen en kijkt opzij. In een blauwe volkswagen cabriolet zitten twee jongens. Wanneer ze Chrissy zien kijken, lachen ze hard.

'Doe je mee aan Miss Holland verkiezing?!' vraagt één van de jongens.

Chrissy kijkt chagrijnig in zijn richting. Ze voelt zich niet op haar gemak.

'Je maakt geen kans!'

'Kijk naar je zelf!' snauwt ze en fietst haastig door. Als ze hoort dat de bestuurder fel optrekt, haalt ze opgelucht adem.

Het meisje schiet met haar fiets in een smalle steeg tussen twee winkelpanden.

Wat gaat ze doen?

Waar is ze bang voor?

Even later fietst Chrissy slingerend tussen groepjes studenten door die druk pratend over de oprijlaan naar de hoofdingang van de dansacademie lopen.

Heftig!

Het grote leven gaat beginnen!

Haar dansleven.

Thuis heeft ze de plattegrond van de dansacademie grondig bestudeerd. Ze weet waar de fietsenstalling is.

Op de parkeerplaats stopt een witte auto. Chrissy schenkt er geen aandacht aan. Ze zoekt een plekje voor haar fiets. Rondom haar klinkt geroezemoes. Zenuwachtig morrelt ze aan haar slot.

Verderop staan twee meisjes van haar leeftijd. Voor hen is het misschien ook de eerste dag op de dansacademie.

Voetstappen komen dichterbij.

Als er opeens een donkere schaduw over haar heen valt, richt Chrissy zich op en ziet een lange man met een grote snor en kaal hoofd naast haar staan.

'Waar is dat meisje gebleven?'

Ze staart hem twee seconden aan. 'Welk meisje?'

'Je weet wie ik bedoel.'

'Nee.'

'Ze fietste dezelfde kant op als jij.'

'Sorry.'

'Neem je haar in bescherming? Dat is niet nodig.'

'Dat doe ik helemaal niet,' reageert Chrissy verontwaardigd.

'Ze fietste deze kant op. Naar de academie.'

'Ik ken haar niet.'

De man kijkt met samengeknepen ogen in het rond.

'U gelooft me niet?'

Er valt een stilte.

'Nieuwste trend?'

Ze staart hem onzeker aan.

'Die schmink,' verduidelijkt hij.

Chrissy schudt niet begrijpend het hoofd.

'Of ben je lid geworden van de beruchte Dracula-clan?'

In Chrissy's hoofd begint alles te duizelen.

Wat is er aan de hand?!

Wat betekende het vreemde sms'je van haar broer waarin hij schrijft dat hij een 'vampierzus' heeft?

Zonder nog iets te zeggen loopt de man met grote passen in de richting van de hoofdingang.

Het is duidelijk dat hij niet van plan is om zijn zoekactie op te geven. Hij wil dat meisje vinden.

En wat is er met haar gezicht?

Er staat een meisje voor de fietsenstalling.

Aarzelend loopt Chrissy in haar richting. Het meisje draait haar bovenlichaam een kwartslag maar Chrissy toe.

Ze groeten elkaar.

'Is er iets met mijn gezicht?' vraagt Chrissy.

'Nogal.' Het meisje probeert haar lachen in te houden, maar dat lukt niet.

'Wat?'

Ze opent de rits van haar tas en geeft Chrissy een spiegeltje. Chrissy kijkt ontdaan naar de zwarte vegen mascara rondom haar ogen en zou het liefst ter plekke door de grond zakken. Ze ziet er uit als een vamp!

'Foutje?' vraagt het meisje vrolijk.

'Alle mascara is uitgelopen.'

'Gebruik je geen waterproof?'

'Wat moet ik doen?!'

'Ik heb papieren zakdoekjes.'

'Daarmee krijg ik het niet schoon.'

'Woon je in Roosburch?'

'Ja.'

'Ga naar huis…'

'Hallo! Dan kom ik te laat.'

Het meisje pakt een zonnebril. 'Die mag je gebruiken.'

Chrissy aarzelt. Ze loopt voor gek met die zonnebril op.

Wat moet ze anders?

Ze kan zich wel voor het hoofd slaan. Ze had naar Robin moeten luisteren.

'Gebruik mijn bril. Dan zoeken we een toiletruimte op.'

Chrissy zet de bril op en loopt over de oude binnenplaats naar de hoofdingang. Het meisje, dat Vera heet, loopt giechelend met haar mee.

In de toiletruimte is niemand aanwezig.

Met natgemaakte zakdoekjes, zeep en proppen wc-papier

boenen ze Chrissy's gezicht schoon. Vijf minuten later ziet Chrissy er weer toonbaar uit.

Plotseling klinkt er een vreemd schurend geluid achter hen. Geschrokken staren ze in de spiegel naar de gesloten deuren achter hen.

Er beweegt niets.

'Hallo?' Chrissy wacht met ingehouden adem af.

Niemand reageert.

Chrissy laat haar blik langs de onderkant van de deuren glijden.

Niets te zien!

'Moven!' fluistert Vera en haast zich naar de deur.

4

Sara

Chrissy blijft alleen achter in de toiletruimte.

Niemand zien betekent niet dat er niemand is.

Ze durft te zweren dat iemand zich in deze ruimte verborgen houdt.

De drukkende stilte bezorgt Chrissy kippenvel. Ze haalt diep adem, stapt de gang op en trekt de deur nadrukkelijk in het slot. Een paar seconden blijft ze doodstil staan met haar hand op de deurklink. Stel dat ze de deur opnieuw opent, zou ze dan iemand zien?

'Griezelig,' huivert Vera.

'Er zal wel een logische verklaring zijn,' denkt Chrissy.

'Er was niemand.'

'Dat weet je niet. We hebben niet achter de deuren gekeken.'

Langzaam lopen ze de gang in.

'Hoe ziet mijn gezicht er uit?'

'Beter.'

'Eerlijk zeggen, hoor.'

Vera knijpt haar ogen samen en inspecteert Chrissy's gezicht tussen haar wimpers door. 'Je kunt het nog een beetje zien.'

Chrissy ziet vanuit haar ooghoek de deurkruk van de toiletruimte langzaam naar beneden gaan. Zonder na te denken trekt ze Vera met zich mee.

'Wat doe je?'

'De deur beweegt,' fluistert ze. 'Er is wél iemand binnen.'

Ze verstoppen zich achter een muurtje.

Twee jongens passeren. Beiden groot, slank en gespierd.

De langste wijst naar de meisjes die met hun rug tegen de muur gedrukt staan. 'Wat schattig! Twee brugpiepers die verstoppertje spelen. Jullie zitten niet meer in groep acht, hoor. Jullie zijn nu héle grote meisjes.'

'Weten we,' antwoordt Vera rustig.

De jongens lopen verder.

Een meisje met lang zwart haar steekt aarzelend haar hoofd om de hoek van de toiletruimte. Na een korte aarzeling stapt ze de gang op.

'Raadsel opgelost,' grinnikt Vera.

'Ze stond op de wc-bril.'

'Waarom?'

'Iemand achtervolgt haar.'

De ogen van het meisje dwalen onrustig door de gang.

'Het lijkt alsof ze bang is.' In het kort vertelt Chrissy wat ze onderweg gezien heeft.

'Ze wordt lastig gevallen,' concludeert Vera. 'Waarom gaat ze niet naar de politie? Vragen?'

'Zou ze ons iets vertellen?'

'Gewoon proberen. Misschien kunnen we haar helpen.'

Aan het eind van de lange gang staat het meisje stil. Ze weet niet welke kant ze op moet.

Chrissy en Vera versnellen hun pas. Dit is de kans om haar aan te spreken.

Er nadert een blonde vrouw. Het meisjes schiet haar aan en stelt een vraag. De vrouw schudt glimlachend haar hoofd en vervolgt haar weg.

'Je moet naar links!' roept Chrissy.

Het meisje kijkt verbaasd om. Ze herkent Chrissy en slaat, zonder iets te zeggen, linksaf.

'Arrogante trut,' scheldt Chrissy zacht.

De deur van lokaal 1D staat wijd open.

Een jonge vrouw in een lange rok wacht de nieuwkomers op. Ze geeft het meisje een hand en richt haar aandacht op Chrissy en Vera.

'Welkom op Dans Academie Roosburch! Ik ben Edith, jullie klassenlerares!'

De twee meisjes stellen zich voor.

'Prachtige namen! Chrissy en Vera, zoek maar een plekje uit.' Edith maakt een uitnodigend gebaar.

'Bij dat meisje gaan zitten?' stelt Vera voor.

Chrissy knikt.

Beiden voelen zich een beetje ongemakkelijk als ze door het lokaal lopen. Alle ogen zijn op hen gericht.

Edith telt de kinderen in de klas. 'Dertien! Iedereen is er!' Glimlachend sluit ze de deur.

'Ongeluksgetal,' roept iemand.

Edith kijkt iedereen beurtelings aan voordat ze begint te vertellen wat hen in dit nieuwe schooljaar te wachten staat. 'Jullie zijn te jong om de officiële dansacademie te volgen. Voor kinderen die gekozen hebben voor dansen, is dit een geweldige opleiding. De overstap naar de vervolgopleiding is later veel minder groot. Maar, als je klaar bent met de Havo of het VWO, heb je nog geen garantie dat je door mag naar de dansacademie. Daarvoor zullen jullie opnieuw auditie moeten doen. Maar goed, dat is voorlopig nog niet aan de orde. Even terug naar deze opleiding want daar gaat het nu tenslotte om. Wij stellen hoge eisen aan elke leerling. Ieder jaar zullen er evaluatiemomenten zijn waarop de resultaten van alle leerlingen door de dansdocenten besproken worden. Talent alleen is niet voldoende om deze opleiding af te ronden. Iedereen moet hard werken. Je zult kritiek krijgen en hiermee om moeten leren gaan. Techniek en uithoudingsvermogen zijn ook belangrijk. En, als het niet meezit, zul je moeten laten zien dat je een doorzetter bent. Is dat niet het geval, dan kun je beter vandaag nog vertrekken.' Ediths ogen dwalen door de klas.

Het is doodstil.

'Ik klink streng en dat is ook zo bedoeld. Wij verlangen tweehonderd procent inzet. Deze opleiding start met één brugklas met dertien kinderen. Een grote groep vinden we. Misschien te groot. Elke dansdocent probeert zoveel mogelijk persoonlijke aandacht te geven. Wees je ervan bewust dat er een wachtlijst van mensen is die de opleiding graag zouden willen volgen maar niet toegelaten zijn. Het zou kunnen dat iemand na een paar weken het gevoel heeft niet thuis te horen op deze opleiding. Omdat het niet is wat je er van verwacht. Of, omdat wij vinden dat je niet de juiste inzet toont. Dan kun je het advies krijgen om een punt achter deze dansopleiding te zetten.'

'Dit wordt een zenuwslopende toestand,' zucht Vera.

Vergeet nooit dat we hier waarden en normen hoog in het vaandel hebben staan,' gaat Edith verder.

'Wat een preek,' verzucht Chrissy. 'Nog even en ik ren gillend weg.'

Edith vraagt of iedereen weet wat de begrippen waarden en normen inhouden.

Chrissy rolt met haar ogen en is blij dat Edith daar niet dieper op in gaat.

'Wie danst is heel kwetsbaar,' benadrukt ze. 'Je kunt je gevoelens niet verbergen.'

Er wordt op de deur geklopt.

Edith kijkt verbaasd als ze een man in de deuropening ziet verschijnen.

'Mag ik even storen?" vraagt hij vriendelijk.

Het is de man met het kale hoofd.

Chrissy kijkt naar het meisje dat haar gezicht achter haar lange steile haar verbergt.

Edith glimlacht. 'Dit is meneer van Oorschot. De directeur van Dans Academie Roosburch.'

Directeur?!

Waarom zit hij achter dat meisje aan?!

Chrissy staart peinzend naar van Oorschot die langzaam tussen een rij tafeltjes door naar achteren loopt. Bij het tafeltje van het meisje met het donkere haar blijft hij staan. Hij wacht een paar seconden, voordat hij tegen haar begint te praten.

'Ik zou je graag willen uitnodigen voor een gesprek.'

Je kunt een speld horen vallen.

'O,' is het enige dat ze uit kan brengen.

'Eerst zou ik graag jouw naam willen weten.'

'Sara,' mompelt ze met trillende stem.

5

Woest!

Edith vindt het vreemd dat de directeur Sara hoogst per-
soonlijk uitnodigt voor een gesprek. Had hij niet kunnen
wachten tot na de introductie?
Er moet iets gebeurd zijn.
'Zou je nu mee kunnen gaan?' vraagt van Oorschot met een
vragende blik in de richting van Edith.
Sara schudt verbijsterd haar hoofd. 'Ik heb mijn lesrooster
nog niet.'
'Het is de vraag of jij dat nog nodig hebt.'
Sara verstrakt en kijkt hulpzoekend naar Edith, die haar
meteen te hulp schiet.
'Over een uurtje is ze klaar.'
Van Oorschot aarzelt.
'Ik breng haar naar uw kantoor,' belooft Edith.
'Afgesproken?' Hij kijkt Sara indringend aan.
'Ja, meneer.'
Zonder nog iets te zeggen, beent hij met grote passen het
lokaal uit.
Edith kijkt hem peinzend na.
In de klas hangt een vreemde stilte.
'Is hij kwaad?' Edith neemt Sara afwachtend op.
'Weet ik veel.'
'Hij komt niet voor niets dit lokaal binnenstuiven.'
'Ik weet nergens van.'
Chrissy en Vera wisselen een blik van verstandhouding.
Sara weigert uitleg te geven. Het gaat niemand aan.
'Zo ken ik van Oorschot niet,' mompelt Edith als ze weer
voor de groep gaat staan. 'Waar waren we gebleven?'

Ze herhaalt opnieuw dat er aan elke leerling hoge eisen gesteld worden. 'Natuurlijk wordt er rekening gehouden met de individuele situatie. Het is onmogelijk om altijd op je tenen te lopen. Soms gebeuren er dingen waar je niets aan kunt doen. Je wordt ziek of er zijn thuis problemen. Dan is het logisch dat dansen niet goed gaat. Daar hebben de docenten begrip voor. Het zijn ook maar gewone mensen,' voegt ze er lachend aan toe. 'Als er problemen zijn, kun je naar mij komen of een mailtje sturen. Als klassenlerares ben ik ook jullie vertrouwenspersoon. Soms is het makkelijker dat ik met een docent praat en de situatie uitleg. Ik benadruk dat het van groot belang is, dat je problemen zo snel mogelijk meldt.'

Edith vertelt verder nog iets over de danslessen, toetsweken, audities doen en optredens.

De leerlingen van de dansklas luisteren met aandacht.

Behalve Sara. Zij is gespannen.

'Zijn er nog vragen?' besluit Edith.

Niemand zegt iets.

'Ik weet zeker dat jullie hoofd boordevol vragen zit,' lacht ze.

'Beginnen we morgen met dansen?' wil een jongen weten.

Edith knikt. 'Verschillende dansdocenten kijken naar de techniek, beweeglijkheid, conditie en ga zo maar door. Op die manier hopen ze snel een beeld van jullie vaardigheden te kunnen vormen. Voordat ik het rooster bespreek, wil ik graag dat iedereen iets over zichzelf vertelt.'

'Dat haat ik,' fluistert Vera.

'Over jezelf vertellen?' Chrissy neemt haar met opgetrokken wenkbrauwen op. 'Waarom?'

'Ik ben geen opschepper,' zegt Vera. Maar het is een feit dat ik ontzettend goed ben in alles. Dat is vervelend voor de rest.'

Chrissy grinnikt. 'Dan ken je mij nog niet.'

Edith leest de namen van alle leerlingen van groep 1D voor.

Coen, Stefan en Rachid bijten de spits af. De jongens stellen zich op een grappige manier voor, waardoor de klas in een deuk ligt.

'Leuke jongens,' vindt Vera.

Sara houdt zich wat afzijdig. Wanneer ze aan de beurt is, laat ze merken geen zin te hebben om veel te vertellen.

'Ik hou van dansen.' Ze houdt haar ogen op de grond gericht. 'Zoals iedereen die hier zit.'

'Wanneer ben je begonnen?' vraagt Edith belangstellend.

'Vanaf mijn vierde zat ik op jazzballet. Toen ik ouder werd, heb ik klassiek ballet gedaan.'

'Je woont in Roosburch?'

'Ik woon nog niet zo lang in Hevelem.'

Meer vertelt Sara niet.

Edith deelt de lesroosters met een plattegrond uit en bespreekt alles uitvoerig.

Het is half twaalf als Edith iedereen bedankt voor hun aandacht. 'Morgen om half negen worden jullie in de danszaal op de begane grond verwacht.'

'Dan gaat het eindelijk beginnen,' lacht Chrissy, wanneer ze haar stoel onder het tafeltje schuift.

Als Sara het lokaal onopvallend probeert te verlaten, roept Edith haar terug.'

'Je bent de afspraak met de directeur toch niet vergeten?'

'Nee,' antwoordt ze nors.

'Ik zal je naar zijn kantoor brengen. Het is moeilijk te vinden.' Ze gaat dicht bij Sara staan. 'Wat is er gebeurd?'

'Niets.' Sara bijt op haar onderlip.

Chrissy schudt afkeurend met haar hoofd wanneer ze

tegelijk met Sara het lokaal verlaat.

'Wil je me helpen?' fluistert Sara in de gang.

'Waarmee?'

'Die kerel is laaiend.'

'De directeur?'

'Wie anders?!'

'Wat is het probleem?'

Ze kijkt vluchtig over haar schouder. 'Toen ik naar de academie fietste, reed ik tegen een stilstaande auto. Er was niets beschadigd, dus ging ik er vandoor.'

'De auto van meneer van Oorschot!' begrijpt Chrissy. 'Hij zag het gebeuren!'

'Hij zat in de auto. Dat had ik niet gezien. Ik moest van hem stoppen, maar deed dat niet. Er was niets beschadigd en ik wilde niet te laat op de academie komen.'

'Ik snap het! Toen ik bij school was, kwam hij naar mij toe en vroeg waar jij gebleven was. Ik had ondertussen wel door dat hij jou achtervolgde. Hij dacht dat we bij elkaar hoorden.'

'Hij moest toevallig naar dezelfde plek.' Sara trekt een grimas. 'Ik heb het verknald bij die man.'

'Wat wil je doen?'

'Een smoes bedenken.'

'Je kunt toch eerlijk zijn?'

'Ik wil niet van de academie gestuurd worden.'

'Zo snel gebeurt dat niet.'

'Dansen is belangrijk voor me. Wil je me alsjeblieft helpen?'

Chrissy schokt met haar schouders. Ze heeft geen zin om zich er mee te bemoeien. Sara heeft het zichzelf op de hals gehaald. 'Ik weet het niet.'

'Zoveel hoef je niet te doen.'

'Dat weet ik, maar...'
'Dan niet!' snauwt Sara en loopt de gang in.

Vera en Chrissy treffen elkaar op de binnenplaats vlakbij het fietsenhok.
'Wat zei ze?' vraagt Vera nieuwsgierig.
'Niks.'
'Ik zag jullie praten.'
'Ik mag haar niet.'
'Waarom werd ze door de directeur gezocht?'
'Toen ze vanochtend naar de academie fietste, reed ze tegen de achterkant van zijn auto. Volgens haar was de auto niet beschadigd, dus ging ze verder. Ze had niet gezien dat er iemand in de auto zat. Ze moest terugkomen, maar dat wilde ze niet.'
'Wat een stunt! Tegen de wagen van de directeur rijden. Als je jezelf in de nesten wil werken, moet je zoiets doen. Waarom koos ze geen andere auto uit? Heeft ze een probleem, denk je?'
'Je hebt gezien dat hij kwaad was.'
'Een bizarre samenloop van omstandigheden,' zegt Vera met verdraaide stem.
'Ze is bang dat ze van school gestuurd wordt.'
'Zal wel meevallen.'
'Ze wilde een smoes bedenken en vroeg of ik haar wilde helpen.'
'Welke smoes?'
'Weet ik veel.'
'Je helpt niet?'
'Zou jij het doen?'
'Waarom niet?'
Chrissy trekt haar fietswiel uit het rek.

Ze twijfelt.

Zou het beter zijn om Sara te helpen?

Maar wat als het ooit uitkomt?

'Heb je haar net gezien?' vraagt Chrissy.

'Ze staat met knikkende knieën op het matje voor het bureau van directeur van Oorschot,' lacht Vera.

Chrissy's ogen gaan zoekend over de binnenplaats. 'Zal ik...?'

'Daarvoor is het nu te laat.'

Chrissy duwt haar voorwiel terug in het rek. 'Ga je mee?'

Vera aarzelt.

'Misschien lukt het om haar te vinden.'

'Ik ga naar huis,' mompelt Vera.

Chrissy is teleurgesteld.

'Ik zou twaalf uur thuis zijn. Sorry. Dat heb ik afgesproken.'

'Tot morgen,' groet Chrissy kortaf.

Als ze over de binnenplaats loopt, fluistert er een stemmetje in haar hoofd.

'Doe nou niet!

Voordat je het weet, heb je zelf problemen.

Je hebt er zoveel voor gedaan om toegelaten te worden op Dans Academie Roosburch.

Wil je het risico lopen om net als Sara van de academie gestuurd te worden?'

Chrissy werpt een vluchtige blik opzij en ziet Vera wegfietsen.

Zou ze werkelijk twaalf uur thuis moeten te zijn?

Wanneer Chrissy door de lange gangen van het gebouw loopt, werkt de vreemde stilte op haar zenuwen.

Er zitten weinig leeftijdsgenoten op de opleiding. Dertien in totaal en die zijn, behalve Sara, naar huis gegaan. Studenten van de hogere klassen kijken nieuwsgierig vanuit hun lokaal naar het meisje dat in haar eentje door de gang loopt.

Zou het haar lukken om na het behalen van het Havo diploma naar de echte dansacademie te mogen?

Het is nog maar de vraag of ze de Havo hier kan afronden. Edith benadrukte dat elke leerling een paar keer per jaar beoordeeld wordt. Er is geen enkele zekerheid dat ze haar plek op de dansacademie behoudt.

'Verdwaald?' vraagt een mannenstem.

Chrissy schrikt op uit haar gedachten.

Verderop in de gang staat een man in de deuropening. Hij leunt met zijn schouder tegen de deurpost en neemt haar afwachtend op.

'Ik zoek iemand.'

De man verwacht een vraag en blijft roerloos op de drempel staan.

'Waar is het kantoor van meneer van Oorschot?'

'Ik loop met je mee. Het is lastig om uit te leggen.'

Zwijgend loopt ze naast hem door de gang.

In dit deel van het gebouw wordt op het moment geen les gegeven. Het is er erg stil.

Ze eindigen bij een donkere hal.

'Loop maar onder die stenen boog door, dan zie je links de deur van zijn kantoor.'

Chrissy bedankt hem.

Wat nu?

Ze luistert naar wegstervende voetstappen. Wanneer ze een paar meter van de deur verwijderd is, hoort ze een vrouwenstem fluisteren.

Er is iemand in de gang bij de garderobe!

Op haar tenen sluipt Chrissy dichterbij.

Bij het raam staat een blonde vrouw, die een telefoon tegen haar oor gedrukt houdt. Ze praat zachtjes, om te voorkomen dat anderen het gesprek kunnen volgen.

Blijkbaar heeft ze niet gemerkt dat er iemand in de gang is.

'Zolang ik hier op de academie ben, zal ik overdag mijn telefoon uitdoen. Ik wil geen enkel risico lopen. Niemand mag weten dat ik hier ben.'

Chrissy's mond zakt open van verbazing.

Waar heeft ze het over?

Wie is deze vrouw?

De vrouw beëindigt het gesprek en verdwijnt uit Chrissy's gezichtsveld.

Opeens gaat er achter Chrissy een deur open en staat ze oog in oog met Sara.

'Ik ben blij dat je eerlijk bent geweest,' zegt de directeur die achter Sara opdoemt.

'Ik ben blij dat u het begrijpt,' antwoordt Sara glimlachend.

Van Oorschot fronst zijn voorhoofd als hij Chrissy in een donker hoekje bij de garderobe ziet staan. Hij schudt zijn hoofd. 'Je hebt gelogen. Jullie kennen elkaar wél.'

Chrissy schudt haastig haar hoofd.

'Ik heb alles eerlijk verteld,' verklaart Sara. 'Hij weet dat jij wilde helpen met het verzinnen van een smoes.'

'Dat is niet waar,' fluistert Chrissy.

'Een leugentje om bestwil,' knikt van Oorschot.

Sara knikt.

Chrissy staart hen verbijsterd aan.

Dat is een leugen!

'Op de dansacademie willen we met eerlijke mensen werken,' benadrukt hij. 'Grote of kleine leugens vind ik allemaal even erg.'

Zonder een woord tegen hem te zeggen, draait Chrissy zich om.

Ze is woest!

6

Afgesproken

Als Chrissy weg wil fietsen, blokkeert Sara het pad.

'Wil je opzij gaan?'

'De directeur begrijpt niks van je…', hijgt Sara.

'Jammer.'

'Hij zegt dat hij van eerlijke mensen houdt.'

'Dat hij een hekel heeft aan liegende, laffe mensen kan ik me voorstellen,' zegt Chrissy.

'Ik heb niet gelogen.'

Chrissy heeft geen zin in een discussie en duwt het fietswiel naar voren. Ze wil er langs.

'Waarom kwam je eigenlijk?'

'Om jou uit de shit te helpen,' snauwt ze.

'Niet nodig!'

'Je was bang dat je van school gestuurd zou worden.'

'Ik heb alles eerlijk opgebiecht.'

'O ja?' zegt Chrissy Spottend.

Sara stapt opzij.

Met opgeheven hoofd wandelt Chrissy met de fiets aan de hand over de binnenplaats.

'Hé!'

Aarzelend blikt Chrissy over haar schouder. Sara roept iets, maar dat is onverstaanbaar.

Chrissy vindt zichzelf achterlijk omdat ze Sara wilde helpen.

Verspilde energie!

'Hé!' brult Sara opnieuw.

Chrissy fietst over het brede pad en merkt dat Sara de achtervolging heeft in gezet. 'Wat is er?'

'Kwam je echt terug om mij te helpen?'
'Is dat belangrijk?'
'Ja.'
Chrissy klemt haar kaken op elkaar.
'Doe niet zo pissig!'
'Dat maak ik zelf wel uit.'
'Waarom wilde je eerst niet en later wel helpen?'
Chrissy slaakt een vermoeide zucht.
'Bang dat je moeilijkheden zou krijgen door mij.'
'Wat denk je?'
'Bedankt.'
'Waarvoor?' Chrissy heeft het gevoel dat ze in de maling wordt genomen. Toch klonk Sara's stem anders, toen ze 'bedankt' zei.
'Dat je me wilde helpen.'
Chrissy zwijgt.
'Ik had willen zeggen dat ik een weggelopen hond van een bejaarde vrouw aan het zoeken was en daarom geen tijd had om met hem te praten. De eigenaresse kon zelf niet zoeken. Ik moest haar helpen. Jij had dat dan kunnen zeggen dat je ook aan het zoeken was.'
'Het is opgelost,' antwoordt Chrissy ongeïnteresseerd.
'Waar woon je?'
'In Roosburch, net buiten het centrum.'
'Ik in Hevelem. 'n Gehucht.'
'Ik ken het dorp. Er is toch een busverbinding?'
Sara knikt. 'Ja, maar ik ga op de fiets.'
Chrissy vraagt zich af waarom Sara aardig probeert te doen.
'Het is wel wennen,' mompelt Sara. 'Ik ken niemand op de academie.'
Ze naderen het kruispunt waar Chrissy rechtsaf moet.

'Heb je veel les gehad?' Sara kijkt vragend opzij.
'Waarom stel je al die vragen?'
'Nou, gewoon...'
'Tot morgen!'
Teleurgesteld kijkt Sara haar na.
Chrissy's aandacht gaat naar een vrouw die aan de over-kant van de straat loopt en opvalt door de zonnebril die ze draagt. Die is helemaal niet nodig, omdat de zon achter een dik wolkendek schuilgaat.
Ziet ze dat goed?
Chrissy remt. Ze weet zeker dat ze haar eerder gezien heeft.
De vrouw staat voor de etalage van een grote modezaak met een schoudertas stevig tegen zich aangedrukt. Ze kijkt schichtig opzij als enkele mensen passeren.
Er klopt iets niet.
Is ze iets van plan?
Chrissy draait haar fiets en blijft op een afstand staan kijken.
'Wat doe je?'
Verbaasd staart Chrissy naar Sara die voor haar neus staat.
'Niks.'
'Ik wilde nog wat zeggen.'
Chrissy reageert niet.
'Is er iets?'
Chrissy's mond zakt open als ze zich herinnert waar ze de vrouw eerder heeft gezien. Ze maakt een hoofdbeweging in de richting van de modezaak. 'Die vrouw was vanoch-tend op de dansacademie. Er is iets met haar aan de hand. Ze stond aan het eind van de gang te bellen. Ze fluisterde. Jij zat toen bij de directeur.'
Sara fronst haar voorhoofd. 'Wat zei ze?'
'Het was moeilijk te verstaan. Ik hoorde haar zeggen:

'Zolang ik hier op de academie ben, zal ik overdag mijn telefoon uitdoen. Ik wil geen enkel risico lopen. Niemand mag weten dat ik hier ben.'

'Huh? Wat bedoelt ze daarmee?'

'Weet ik niet. Ze valt op omdat ze een zonnebril draagt. Zou ze zich vermommen?'

'Daar lijkt het wel op.'

Er valt een stilte.

Sara schraapt haar keel. 'Het spijt me.'

'Wat?'

'Mijn reactie. Dansen is voor mij heel belangrijk. Toen van Oorschot de klas binnenstapte, kon ik wel door de grond zakken. Ik was zo bang dat ik van school gestuurd zou worden, dat ik iets moest verzinnen. Iemand moest me helpen met een leugentje. Dus vroeg ik jou.'

'Snap ik.'

'Excuus aanvaard?'

Chrissy haalt haar schouders op. 'Ik vond het vervelend wat je tegen hem zei.'

'Daar bied ik mijn excuus toch voor aan?'

'Wat denkt hij van me? Dat ik een leugenaar ben?'

'Het was kinderachtig van me. Morgen leg ik het hem uit.'

'Afgesproken?'

Sara maakt een bezwerend gebaar. 'Afgesproken.'

7

Trilknieën!

Chrissy zit op bed met haar rug tegen de muur met de laptop op haar bovenbenen. Ze beantwoordt het bericht van haar vriendin Marjolein, die vandaag haar lesrooster bij de RSG (Roosburchse Scholen Gemeenschap) op moest halen.

Aan: Marjolein
Van: Chrissy

Hi Lein!
Ik vond het super! We hebben kennisgemaakt met onze klassenlerares en mogen haar Edith noemen. Ze is best aardig, hoewel ze met een hele serieuze speech begon. Ze vertelde dat er een paar keer per jaar een toetsing plaatsvindt wat het dansen betreft. We moeten aan veel eisen voldoen. Talent alleen is niet genoeg. Houding en motivatie zijn bijvoorbeeld erg belangrijk. We zullen ons met dansen verder moeten ontwikkelen tot een bepaald niveau. Wie niet aan de eisen voldoet, loopt het risico afscheid van de academie te moeten nemen.
Niet leuk. Ik zal mijn best moeten doen om geen negatieve aantekeningen in mijn rapport te krijgen. Voor je het weet, zit ik bij jou op school. Ik wil deze opleiding doen en na het Havo-examen naar de echte dansacademie. Dat lijkt me zo gáááááf!
Of ik in een leuke klas zit? Ik weet het niet. Er zitten dertien leerlingen in groep 1D. Drie jongens en de rest zijn meisjes. Ik ken niemand van de groep. Er is één meisje die ik niet

echt leuk vind. Ik vraag me af of ze wel geschikt is voor deze opleiding. Ik vind haar onverschillig. De anderen zijn oké! Morgen moet ik half negen beginnen. Met dansen! Het gebouw waarin we les krijgen, vind ik vetgaaf. Ik heb het gevoel dat ik in een kasteel ben.

Hoe was het op jouw school? Heb je een leuke klas en een fijn rooster?

xxxx Chris

Aan: Chrissy
Van: Marjolein

Hi!
Ik heb een prutrooster! Elke dag een tussenuur.
Bleeegh!
Een klas van dertien?! Mijn klas is veel groter. De helft ken ik van groep acht.
Word je een paar keer per jaar beoordeeld? Doodeng.
Daar zou ik daar slapeloze nachten van krijgen.
Dansen is jouw droom.
Stel dat de dansdocenten beslissen dat je moet vertrekken!
Dat mag niet gebeuren hoor!
Wel eens van Fedor gehoord?
Die leuke jongen met dat halflange haar en die mooie groene ogen. Nou, die zit bij mij in de klas. Ik heb een tijdje met hem gepraat. Hij is zóóóó bijzonder. Ik krijg trilknieën van hem! (Soft uitgedrukt)

xxxxx
Leintje

Chrissy overweegt om op MSN te gaan, maar doet het niet. Dat Marjolein onder de indruk van Fedor is, is wel duidelijk.

Zou ze verliefd zijn?

Alles wat Chrissy over de dansacademie of de vreemde vrouw met de zonnebril zou vertellen, zal Marjolein vast niet boeien.

Tijdens het middageten heeft ze met haar moeder over de opleiding gesproken. Haar moeder is psychologe en werkt in haar eigen praktijk naast het huis. Haar vaders, ook psycholoog, werkt in het ziekenhuis.

Mam wilde weten of ze tegen het eerste brugjaar op zag.

'Ja, en nee,' antwoordde ze eerlijk. 'Het lijkt me heerlijk om heel veel uren met dansen bezig te zijn.'

'Maar?'

'Ze zijn streng.'

Annelies dacht dat dat wel mee zou vallen.

'Nee, mam. Onze klassenlerares heeft dat een paar keer herhaald.'

'Ben je bang dat je het niet aankunt? Of, dat je teveel moet presteren?'

'Nogal.'

'Komt goed. Je doet je best.'

'Ik wil op de academie blijven.'

'Dat gebeurt ook! Maak je niet te veel zorgen.'

In het kantoor van haar moeder heeft ze kopieën van het lesrooster gemaakt. Eentje voor op het prikbord in de keuken en de deur van haar eigen slaapkamer.

Dat Fedor bij Marjolein in de klas zit, is leuk voor haar. Maar om daar 'trilknieën' van te krijgen, dat is wat overdreven.

Chrissy heeft geen behoefte aan een vriendje. Nu nog niet. Dansen gaat voor. Coen, Rachid en Stefan zijn geen jongens waar ze verliefd op zou worden.

Of, toch wel?

Misschien krijgt ze over een paar jaar meer belangstelling voor jongens. Nu zegt het haar weinig.

In tijdschriften heeft Chrissy over verliefdheid gelezen en wat er dan allemaal met je gebeurt. Het zet iemands leven volkomen op de kop en zorgt er voor dat je niet meer logisch kunt nadenken. Alles staat in het teken van dat leuke meisje of jongen. De rest van de wereld doet er niet meer toe. Hoe leuk het ook allemaal lijkt, verliefd zijn lijkt haar een rampzalige toestand.

Chrissy staart naar het scherm en besluit nog een kort mailtje terug te sturen.

Aan : Marjolein
Van: Chrissy

Ik wens je veel sterkte met de trilknieën.
Ik wil niet verliefd worden.
Met trilknieën kan ik niet dansen!

Tot later. Xxxxxx Chris.

Chrissy schakelt haar computer uit. Ze heeft geen zin om straks op Marjoleins nieuwe mail te reageren. De kans is groot dat die alleen maar over Fedor en trilknieën zal gaan.

8

Raadsels

'Weer slecht geslapen?'

Chrissy draait zich verbaasd om en kijkt haar broer aan. 'Hoe dat zo?'

Robin wijst plagend naar haar gezicht. 'Als ik jou was, zou ik via internet speciale literblikken wallencrème bestellen.'

'Lazer op.'

'Je ziet er niet uit.'

Chrissy werpt een schuine blik in de spiegel. 'Valt mee.'

'Laat je niet stangen door die broer van je.' Peter van Dungen staat slaperig op een afstand naar zijn twee kinderen te kijken. 'Het is normaal dat je niet goed kunt slapen, wanneer er spannende dingen gaan gebeuren. Daar heb ik zelf ook last van.'

Chrissy duwt haar broer hardhandig opzij en gaat voor haar vader staan. 'Heb ik wallen?'

'Nee, hoor.' Hij schudt geruststellend zijn hoofd.

'Wel puistjes!' beweert Robin. 'Twee!'

Chrissy wil terug naar de spiegel, maar haar vader houdt haar tegen. 'Niks te zien!'

'Wat ben jij onzeker,' grinnikt Robin.

'Dat heeft daar niets mee te maken.'

'Oh, nee?'

'Als we naar beneden gaan, kunnen we met zijn allen ontbijten,' stelt Peter voor. 'Ik moet op tijd naar het ziekenhuis.'

Dat vinden Robin en Chrissy een goed idee.

Vanaf het moment dat Robin naar het voortgezet onderwijs ging, schoot het gezamenlijk ontbijt er steeds vaker bij in.

De ene dag moet hij vroeg op school zijn, de andere pas rond tienen. Logisch dat hij dan liever in bed blijft liggen. Volgens hem hebben alle scholieren last van aanhoudend slaapgebrek.

Annelies zet thee en haalt warme broodjes uit de oven.

'Je bent wel onzeker,' begint Robin opnieuw.

'Ik vind het spannend.'

'Je moet gewoon jezelf blijven.'

'Doe ik toch?'

'Waarom ben je zenuwachtig.'

'Om alles.'

Robin laat een afkeurend geluid horen.

'Heb jij wel eens gedanst?'

'Ik kijk wel uit!'

'Je durft niet, omdat je bang bent jezelf belachelijk te maken. Een proefwerk maken is wat anders dan in je eentje voor publiek dansen.' Chrissy denkt dat Robin haar op zijn manier wil geruststellen, maar zo eenvoudig is dat niet. Pas wanneer ze veel dansuren heeft gemaakt, zal ze meer vertrouwen krijgen.

Als Chrissy drie kwartier later over de binnenplaatst fietst, voelt ze kriebels in haar buik. Ze kan nog steeds niet geloven dat ze is toegelaten op deze opleiding.

Het gebouw is bijzonder. De architect heeft het oude deel harmonieus met het nieuwe kunnen verbinden.

Haar ogen glijden langs de zijgevel van de eerste verdieping. Achter de hoge, smalle ramen is de prachtige danszaal.

Wanneer zal ze daar haar eerste optreden hebben?

'Hé, Chrissy!'

Chrissy steekt lachend een hand op naar haar nieuwe klasgenoot. Ze is zijn naam vergeten. 'Coen?'

Hij schudt zijn hoofd. 'Stefan. Ik heb stekeltjes. Coen en Rachid niet.'

Samen lopen ze naar de hoofdingang.

'De naam Chrissy heb ik nooit eerder gehoord.'

Chrissy hangt haar zware tas over haar andere schouder. Slijmerd, denkt ze. 'Ik heet Christine, maar vond die naam niet bij mij passen. Toen ik zes was, plakte ik op alle deuren in het huis kleine briefjes waarop stond dat ik Chrissy heette. Dat vond ik leuker. Mijn ouders namen mij serieus, dus noemden ze mij zo.' Ze trekt een grimas. 'Officieel heet ik gewoon Christine. Maar de mensen die me goed kennen, noemen me Chrissy of Chris.'

'Chrissy is een leuke naam,' vindt Stefan. 'Heb je zin in de eerste schooldag?'

'Ik wel.'

'Dans jij al lang?'

'Een paar jaar.'

'Klassiek?'

'Ja, dat heb ik gedaan. Jij?'

Hij knikt bevestigend.

'Wat zou je later het liefst willen? Klassiek of modern.'

'Allebei.'

In de brede gang klinkt het geroezemoes van studenten die zacht met elkaar praten.

'Weet jij hoe we bij de oefenruimte moeten komen?' vraagt Stefan.

'In de vakantie heb ik de plattegrond bestudeerd.'

'Die ken je uit het hoofd?'

'Yep,' antwoordt ze en voelt haar hartslag versnellen vanwege de onverwachte aandacht van Stefan.

Wanneer ze afbuigen naar rechts passeren ze een groep leerlingen die in de derde zitten. Chrissy groet verlegen.

'Nieuwelingen?' vraagt een meisje vriendelijk.

Stefan en Chrissy knikken.

Het meisje wenst hen succes. 'Maak je borst maar nat! Je wordt aangepakt!'

In de kleedkamer van de meisjes is de spanning voelbaar.

Chrissy valt gelukkig niet uit de toon met haar paarse legging en wit hemdje met bijpassend trainingsjasje. De anderen dragen vrijwel dezelfde kleding.

Sara staat achteraan in een hoek. Ze heeft haar donkere haar opgestoken, waardoor ze er mooi uit ziet.

Ze zwaaien naar elkaar.

Een lange, donkere man komt op Chrissy af als ze de dansruimte binnengaat. Glimlachend geeft hij haar een hand.

'Ik ben Lars. Docent moderne dans.'

Tien minuten later zit klas 1D in een kring op de grond. Voordat Lars met de warming up begint, wil hij eerst van iedereen weten welke ervaringen ze met dansen hebben opgedaan.

Opeens gaat er een deur open. Een blonde vrouw van ongeveer veertig jaar stapt binnen. Ze groet iedereen vriendelijk.

Lars spreekt Duits met haar. Chrissy en Sara wisselen een blik van verstandhouding. Dat kan geen toeval zijn!

Lars legt uit wie ze is. 'Misschien kennen jullie haar van televisie. Ze heeft jarenlang over de hele wereld gedanst. Ze is tot de herfstvakantie gastdocent op onze academie. Jullie krijgen les van haar. Ze heet Barbel Schmidt.'

'Ik vind het een eer dat ik op Dans Academie Roosburch als gastdocent ben uitgenodigd. Vanochtend neem ik eerst een kijkje,' vertelt ze in het Duits. 'Morgen begin ik met de eerste lessen.'

'Daar wil ik bij zijn,' glimlacht Lars.

'Zal wel moeten. Als de leerlingen mijn Duits niet verstaan, moet iemand vertalen.'

Ze beginnen zittend op de grond met de warming up. Voornamelijk rek- en strekoefeningen.

'Pst,' Chrissy probeert Sara's aandacht te trekken.

'Wat is er?'

'Gisteren sprak ze gewoon Nederlands,' fluistert Chrissy.

Sara fronst haar voorhoofd. 'Nog meer raadsels.'

9

Bravo!

Barbel Schmidt trekt haar witte jasje uit en hangt dat over de leuning van de stoel.

Lars neemt zijn plek in de kring weer in en wacht totdat het stil is.

'Voor de zomervakantie hebben jullie een brief ontvangen waarin vragen stonden die specifiek met dansen te maken hadden. Iedereen heeft de formulieren ingevuld en naar de academie teruggestuurd. Het ging vooral over de ervaringen die je al dan niet met dansen hebt opgedaan. Bij deze opleiding komen verschillende stijlen aan de orde. De komende jaren zullen we hoofdzakelijk klassiek ballet en moderne dans doen. De formulieren zijn in een map gebundeld. Gisteren heb ik alles rustig doorgelezen en weet welke dansvormen jullie voorkeur heeft. De meesten kiezen voor moderne dans.' Met een brede glimlach kijkt hij de kring rond. 'Klassiek ballet is ontzettend mooi en de basis voor alles. Maar door middel van de moderne dans, kan de danser zich persoonlijker uiten. Tenminste, dat vind ik. De moderne dans, danst soepeler dan klassiek ballet.'

De leerlingen van 1D begrijpen wat hij bedoelt.

'Jullie hebben allemaal ballet- of danslessen gevolgd en weten dat een warming up belangrijk is. De spieren moeten opgewarmd worden om blessures te voorkomen. Wat ik vooral wil benadrukken, is dat je een goede houding moet aannemen tijdens de warming up. Vaak vergeet je dat, omdat de aandacht naar de oefeningen uitgaat. Een danser mag zijn houding nooit en te nimmer verwaarlozen.'

Dertien hoofden bewegen tegelijk op en neer. Iedereen

weet dat. Het probleem zit 'm in het feit dat het moeilijk is om aan alles tegelijk te denken. Door te oefenen, krijg je routine.

'Eerst moeten wij elkaar wat beter leren kennen. Ik stel voor dat iedereen om de beurt zijn naam noemt. Waarschijnlijk hebben jullie dat gisteren bij de kennismaking ook gedaan. Aan het eind van de les moet iedereen de naam van de anderen weten,' voegt Lars er vrolijk aan toe.

'Inclusief achternamen?' vraagt Coen.

'Nee, dat oefenen we pas over een week,' grapt Lars en wijst iemand aan. 'Jij begint.'

'Ik heet Elmy.'

'Mijn naam is Nynke.'

Chrissy luistert aandachtig en probeert de namen die in een snel tempo achter elkaar worden

genoemd, te onthouden. In gedachten herhaalt ze alles een paar maal; Elmy, Nynke, Anne, Quinty, Denise, Sara, Amarins, Linde, Vera, Coen, Rachid en Stefan.

Best lastig.

Ze probeert het opnieuw.

Elmy, Nynke, Anne, Quinty, Denise, Sara, Amarins, Linde, Vera, Coen, Rachid en Stefan.

Barbel Schmidt geniet zichtbaar van de jonge enthousiaste dansers.

Chrissy werpt heimelijke blikken in haar richting. Ze begrijpt niet wat er met deze vrouw aan de hand is. Ze draagt buiten een zonnebril, of de zon nu wel of niet schijnt. En, wanneer ze op een afgelegen plek telefoneert, spreekt ze gewoon Nederlands. In het openbaar doet ze alles in het Duits. Dat is op zijn zachts uitgedrukt, merkwaardig.

'Elke docent heeft een andere manier van lesgeven,' gaat Lars verder. 'Ik neem aan dat iedereen een bepaalde warming up gewend is. Wie kan een goede oefening laten zien, die zittend vanaf de grond gedaan kan worden?'

Nynke steekt haar vinger op en demonstreert een simpele rekoefening voor de beenspieren.

Iedereen doet haar na.

Quinty kent een oefening voor de rug en schouderspieren. Al snel blijkt dat iedereen wel een oefening kent, die anderen nooit gedaan hebben.

Lars klapt in zijn handen. 'Ga maar staan. Dan beginnen we met een warming up zoals ik die vaak doe.'

'Eindelijk de voeten van de vloer,' lacht Elmy. 'We komen hier om te dansen, niet om op de grond te zitten.'

'Eerst klassiek?' Lars maakt een uitnodigend gebaar naar de verschillende barre's die tegenover de spiegelwand bevestigd zijn.

'Als het moet,' mompelt iemand.

'Let goed op. Ik doe de oefening voor en kan niet vaak genoeg zeggen dat je een goede lichaamshouding moet aannemen. Zorg dat je rug recht is. Span de spieren op de juiste manier.'

Ze oefenen onder begeleiding van klassieke muziek aan de barre.

Lars praat eventjes met Barbel Schmidt, maar houdt de leerlingen scherp in de gaten.

Na de warming up roept hij de groep bij elkaar en begint over de map waarin de formulieren zitten die door de leerlingen zijn ingevuld.

'Iedereen beschrijft dat dansen heerlijk is.'

'Er bestaat niets leukers,' vindt ook Amarins.

'Dat ben ik met jullie eens. Wanneer je danst, voel je je fantastisch. Barbel deed zojuist een leuk voorstel. Ze is er van overtuigd dat jullie allemaal wel eens met een voorstelling hebben meegedaan van ballet, jazz of streetdance. Ik wil jullie één voor één uitnodigen om een willekeurig stukje uit een voorstelling te dansen. Het hoeft niet lang te zijn. Een paar minuten is voldoende.'

Het wordt opeens heel stil.

Linde trekt een moeilijk gezicht. 'Zonder muziek?'

'Muziek zit in je hart.'

'Dat is lastig.'

'Ik weet niets,' zucht Coen.

'Kom op, jullie kunnen toch dansen?'

'Jawel, maar in je eentje zonder muziek is niet leuk.' Amarins schokt met haar schouders.

Chrissy fronst haar voorhoofd.

Niemand voelt iets voor plan van Barbel.

Lars zegt dat hij niets van hen begrijpt. 'Jullie beweren dat dansen heerlijk is. Dat er niets leukers bestaat. Ik nodig jullie uit om te dansen en kijk wat er gebeurt... Jullie durven niet.'

'Logisch,' vindt Vera.

'Dat vind ik niet logisch.'

'Alleen is maar alleen.'

'Waarom voelen jullie je zo onzeker?'

'Omdat we elkaar nog niet kennen,' zegt Elmy.

'Als jullie in een schouwburg optreden, ken je het publiek ook niet! Neem van mij aan dat niemand zich binnen deze groep kwetsbaar hoeft te voelen. Jullie moeten leren dat je elkaar kunt vertrouwen. Wie danst, hoeft niet bang te zijn om uitgelachen te worden. Jullie mogen jezelf zijn. Dan maakt het niet uit voor welk publiek je danst. Alleen op die manier dwing je respect af voor wie je bent en wat je doet.'

Het is inderdaad raar zoals iedereen reageert, denkt Chrissy.

Ze zitten in de brugklas van de dansacademie!

'Ik weet dat het moeilijk is. Toch wil ik graag dat iedereen alleen danst. Je kiest iets dat je ooit hebt ingestudeerd, maar improviseren mag ook. Je bent vrij in wat je doet. Het gaat niet om perfectie. Durf te laten zien wie je bent. Wedden dat het niet zo eng is, als het lijkt?' Lars laat de woorden op iedereen inwerken, dan kijkt hij hen beurtelings aan. 'Wie durft als eerst?'

Er gaan seconden voorbij.

Chrissy steekt aarzelend haar vinger op.

'Jij?'

'Ik doe het wel,' zegt ze zacht.

'Bravo!' roept Barbel en klapt goedkeurend in haar handen.

Als Stefan haar een bewonderende glimlach schenkt, kruipt een blos vanaf Chrissy's kaken langzaam omhoog. Haastig wendt ze haar gezicht af.

Chrissy haalt diep adem en begint met een ingetogen pose; het hoofd naar beneden. Beheerst, maar sierlijk, strekt ze zich, maakt een holle rug en draait haar hoofd naar achter. De combinatie met haar armen is prachtig. Vanuit een rustige Pirouette brengt ze vaart in haar bewegingen door een Bodyroll. Ze maakt sprongen, rolt over de grond, maar steeds weet ze al haar bewegingen te beheersen. Haar korte optreden is adembenemend mooi. Ze krijgt applaus.

'Klasse!' complimenteert Lars.

'Je hebt laten zien dat je kunt dansen!' beaamt Barbel.

10

Actieplan Fedor

Opgetogen fietst Chrissy langs het raam van haar moeders praktijk. Ze rinkelt met haar fietsbel en steekt een hand op. De witte vitrage voor de ramen geeft geen doorkijk, toch weet ze bijna zeker dat haar moeder in de praktijkruimte is.

Ze laat haar fiets schuin tegen de heg zakken.

Robin is er niet.

Chrissy vindt het niet erg als er niemand thuis is. Dan kan ze zonder pottenkijkers in de grote woonkamer dansen.

Ze zet haar schooltas in een hoek van de keuken, schenkt cola in en drinkt het glas leunend tegen het aanrecht leeg. Mmm, lekker.

Chrissy pakt haar mobiele telefoon uit de tas die ze vanochtend, toen ze naar school ging, heeft uitgeschakeld. 'Vijf oproepen gemist,' mompelt ze.

Marjolein heeft haar vanmiddag geprobeerd te bereiken.

Chrissy aarzelt of ze een sms'je zal sturen. Zou ze belangrijk nieuws te vertellen hebben over Fedor?

Zou hij haar vandaag twee keer recht in de ogen gekeken hebben of zijn appel met haar gedeeld hebben?

Ze voelt een lichte weerzin.

Natuurlijk begrijpt ze dat het voor Marjolein spannend is. Het is een leuke jongen en geliefd bij de meeste meisjes. Hij zat op een andere basisschool, maar ze kwamen hem regelmatig tegen. Marjolein heeft het geluk dat ze bij hem in de brugklas zit. Maar om dat als een sensationeel wereldwonder te beschouwen, gaat haar te ver.

Chrissy doet haar danskleren in de wasmachine. Als ze

terugloopt naar de keuken krijgt ze een sms'je van Marjolein.

Heb vannacht niet geslapen.
Ben echt verliefd!
Ik moet iets verzinnen.
Help je?

xx Lein xx

Chrissy zuigt haar wangen vol met lucht en laat het langzaam tussen haar samengeknepen lippen door ontsnappen.
Chrissy voelt er weinig voor om achter een jongen aan te
lopen. Ze wil oefenen. Dat ze als eerste voor haar groep
danste, werd enorm gewaardeerd door Lars en Barbel.
'Daar gaat het om,' zei Barbel plechtig in het Duits. 'Het
doen, het dansen, het durven. Dat is je droom. Laat je nooit
belemmeren door wat of wie dan ook.'
Chrissy kreeg een rood hoofd, omdat de woorden van de
bekende danseres recht uit haar hart leken te komen. Dat
maakte op Chrissy en haar klasgenoten indruk.
Het dansen vond ze behoorlijk eng, omdat ze vreselijk
zenuwachtig werd van de stilte en alle ogen die op haar
gericht waren. Vooral Stefans ogen.
Barbel en Lars knikten haar bemoedigend toe.
'Probeer er altijd voor te zorgen dat wanneer je danst, jij de
lichtheid van je lijf voelt. Dansen moet je beleven vanuit
je tenen. Maak je niet druk over wat anderen er van vinden. Later kun je het dansen perfectioneren. Maar dat kan
pas, als je vanuit je binnenste danst.' Barbel Schmidt sprak
Duits. Lars moest sommige woorden voor haar vertalen.
Waarom zei ze het niet in het Nederlands?

Chrissy slaakt een zucht. Ze zit met het sms'je van Marjolein in haar maag. Als ze niets van zich laat horen staat Marjolein straks voor haar neus. Die is alleen maar met die Fedor bezig. Er zit niets anders op dan een bericht terug te sturen.

De telefoon gaat.

'Eindelijk!' tettert Marjolein in de hoorn. 'Waarom is jouw telefoon de hele dag uit?'

'Ik was op school.'

'Ik ook! Whatever! Je moet me helpen.'

Chrissy schiet in de lach. Het klinkt als een hulpkreet en dat, terwijl ze alleen maar verliefd is. 'Moet ik je hand vasthouden wanneer hij zoent?'

'Aaaagh! Was het maar zover. Zoende hij me maar. Er is nog een meisje...'

'Complicaties, dus.'

'Zij laat overduidelijk merken dat ze hem aardig vindt. Het lukt haar om zijn aandacht te krijgen.'

'Jou niet?'

'Nee. We moeten iets bedenken. Een toevallige ontmoeting, een leuk gesprek...'

'Bij de ijssalon?'

'Mij best. Als het maar snel gebeurt.'

'Durf je dat zelf niet te vragen?'

'Ik begin te stotteren, mijn benen veranderen in pudding en ik zie alleen nog sterretjes voor mijn ogen.'

'Is het zo erg?'

'Ja!'

'Heb je zijn mobiele nummer?'

'Nee.'

'Weet je waar hij woont?'

'Nee, ook niet.'

Chrissy klakt met haar tong. 'Schiet niet echt op.'

'Misschien is hij ergens in de stad. Jij kunt wel een praatje met hem maken.'

Moet ik het zware werk voor je doen?"

'Als jij verliefd bent, help ik jou,' belooft Marjolein. 'Dat zweer ik. Het gaat om het leggen van het eerste contact.'

'Oké dan!' Chrissy moet er toch wel een beetje om lachen. Marjolein haalt opgelucht adem. 'Actieplan Fedor gaat van start!' roept ze keihard in de hoorn.

Ze spreken om kwart over vier op het marktpleintje af. Chrissy legt een briefje op de keukentafel voor haar moeder en fietst vijf minuten later de straat uit.

Met tegenzin.

Omdat ze huiswerk heeft.

Omdat ze wil oefenen.

Omdat ze merkt dat Marjolein geen interesse voor haar eerste schooldag op de dansacademie heeft.

Omdat ze geen ruzie wil met haar beste vriendin.

Omdat ze iets doet, wat ze eigenlijk niet wil.

Omdat ze verliefde mensen maar vervelend vindt.

Wanneer Chrissy naar het centrum van Roosburch fietst, dwalen haar gedachten voor de zoveelste keer af naar vanochtend. De eerste lesuren waren super. Dat het belangrijk is om elkaar beter te leren kennen, begrijpt iedereen. Je kunt niet dansen wanneer je je onzeker tussen anderen voelt.

Nadat iedereen een kleine voorstelling van een paar minuten had gegeven, speelde Lars enkele nummers op de piano als muzikale ondersteuning bij de balletoefeningen. Na twintig minuten vond hij het welletjes en besloot het op een andere boeg te gooien; streetdance!

Met elkaar zochten ze geschikte dansmuziek uit.

Toen Barbel voorstelde om elke leerling opnieuw een korte

improvisatie te laten dansen, reageerde niemand enthousiast. Iedereen voelt zich nog onzeker. Dit is wel even wat anders dan de danslessen die ze tot nu toe gevolgd hebben. Toch is het erg belangrijk om in elke situatie te dúrven dansen!

Na afloop liepen ze in kleine groepjes naar de andere kant van het gebouw voor Nederlands, wiskunde en Engels.

'Ik dans liever de hele dag,' zei Coen.

'Anders ik wel,' antwoordde Chrissy lachend.

Chrissy wisselde nauwelijks een woord met Sara, die er uit zag alsof ze zich eenzaam of verdrietig voelde.

Chrissy schrikt op uit haar gedachten als ze iemand hoort roepen dat het 'zinloos is!'

Een oude statige man met een scheefgezakte hoed op het hoofd, staat midden in het stadspark.

Tegen wie praat hij?

Chrissy kijkt zoekend rond. Er is niemand te zien.

Twintig meter verderop bewegen de onderste takken van een grote struik heen en weer. Ze draait haar fiets en gaat kijken.

Plotseling stapt er aan de andere kant een jongen uit de struiken tevoorschijn.

'Zoeken jullie wat?' roept ze.

'Een Vlaamse reus!' antwoordt de oudere man.

Met de fiets aan de hand loopt ze over het gazon naar hem toe. 'Wat is dat?'

'Een groot konijn,' legt de man uit. Hij wijst naar de kinderboerderij aan de andere kant van de vijver. 'Hij is uit de ren ontsnapt.'

'Daarginds bij die andere struiken bewoog iets,' wijst Chrissy.

De man schudt zijn hoofd. 'Onmogelijk.'

Chrissy staart hem ongelovig aan. 'Het is echt zo.'

'Heb je het konijn gezien?'

'Nee, maar…'

'Nou dan,' onderbreekt hij haar geërgerd. 'Het konijn zit aan deze kant in de struiken.'

Chrissy bijt op haar onderlip. Wat een eigenwijze man. Ze loopt bij hem weg en ziet even later twee lange oren tussen takken uitsteken.

Zie je wel!

'Hier is het konijn!' schreeuwt ze in een opwelling.

Van schrik verdwijnt het konijn snel onder de struiken.

De jongen rent haar kant op. De bejaarde man volgt in een rustiger tempo.

'Waar?'

Chrissy laat haar fiets in het gras vallen en loopt naar de plek.

Wanneer de jongen de takken opzij buigt ziet Chrissy tot haar stomme verbazing wie er naast haar zit;

Fedor!

Ze zegt niets. Ze kennen elkaar niet goed, maar groeten altijd wanneer ze elkaar tegen komen.

'Je kon wel eens gelijk hebben,' mompelt hij en zoekt een opening waardoor hij tussen de struiken kan kruipen. 'Blijf jij daar staan?'

Chrissy mompelt instemmend.

Er klinkt geritsel.

'Hoe kan dat konijn hier terecht zijn gekomen?' vraagt de man zich af. 'We hadden moeten zien dat hij over het gras naar die andere bosjes rende…' Hij onderbreekt zichzelf als hij beseft dat er niemand naar hem luistert.

De Vlaamse reus geniet van zijn vrijheid en voelt er weinig voor om gepakt te worden.

Chrissy vergeet de tijd en haar afspraak met Marjolein.

Als het grote konijn plotseling bij Chrissy's voeten opduikt, probeert ze door middel van gebaren Fedors aandacht te trekken. Ze duikt snel voorover en slaagt erin om het dier met twee handen vast te pakken.

'Hebbes!'

Het konijn probeert uit alle macht te ontsnappen. Chrissy ligt languit in het zand en klemt het konijn tegen haar aan.

'Help!' roept ze. 'Anders ontsnapt hij weer!'

Fedor ligt ook op de grond en grijpt het konijn in zijn nekvel. 'Niet loslaten,' waarschuwt hij buiten adem. 'Ik heb hem nog niet goed vast.'

Wanneer het dier wat gekalmeerd is, staan ze op.

'Zal ik loslaten?' vraagt Chrissy.

Fedor knikt. Hij drukt het konijn tegen zijn borst.

'Niet zo hard,' waarschuwt ze. 'Hij moet wel adem kunnen halen.'

Wanneer ze samen met de bejaarde man in hun kielzog naar de kinderboerderij lopen, ziet Chrissy nog net vanuit haar ooghoek een meisje op een fiets wegsprinten. Ze draagt hetzelfde oranje jack als Marjolein.

Shit, de afspraak met Marjolein! Hoe laat is het? Ze pakt haar mobiele telefoon en ziet dat ze een kwartier geleden op het marktplein had moeten zijn.

Was het Marjolein die wegfietste?

Chrissy twijfelt.

Waarom zou ze wegfietsen?

In ieder geval zal ze deze kans moeten benutten om Fedor uit te nodigen om mee te gaan naar het marktplein. Eerst moet de Vlaamse reus teruggebracht worden.

De beheerder van de kinderboerderij is blij dat het konijn gevonden is. Hij bedankt hen allemaal.

'Ga je mee naar het marktplein?' vraagt Chrissy plomp-verloren. 'Een ijsje eten?'

'Hebben we wel verdiend,' vindt Fedor.

Chrissy slaagt erin haar verbazing te verbergen. Ze had niet gedacht dat het zo makkelijk zou gaan.

Op het plein heerst een gezellige drukte.

Zoekend kijkt Chrissy rond.

Nergens een spoor van Marjolein te zien.

Hoe kan dat nou?

Ze voelt zich ongemakkelijk. Fedor is een leuke jongen, maar ze heeft hem voor Marjolein uitgenodigd. Niet voor zichzelf.

Wanneer ze de ijssalon binnenstappen, komt Chrissy tot de ontdekking dat ze geen geld bij zich heeft.

'Geeft niks,' lacht Fedor. 'Ik betaal.'

'Je krijgt het morgen van me terug.'

Hij schudt zijn hoofd. 'Ik trakteer.'

Chrissy krijgt een sms'je. Zonder te kijken, weet ze wie de afzender is. Nieuwsgierig tuurt ze op het scherm en vraagt zich af wat Marjolein te melden heeft.

Chrissy verstrakt.

Wat heeft dit te betekenen?

TRUT!

11

Geheim

Dertig jaar geleden.

Ze draait de schakelaar om en kijkt naar de stoffige lamp die boven het trapgat hangt.
Een groot deel van de zolder blijft onverlicht.
Het meisje is er aan gewend.
Geluidloos klimt ze de trap op.
Op de bovenste tree blijft ze staan om te luisteren.
In het oude herenhuis is het doodstil.
Niemand weet dat ze hier is.
Ze loopt naar de grote spiegel die achteraan tegen een witgekalkte muur staat. Voorzichtig pakt ze een bruine tas die tussen dozen verborgen staat.
Ze doet eerst haar schoenen uit. Dan de rest.
Het is een ritueel geworden.
Haar broek en trui legt ze keurig opgevouwen op een kast die naar boenwas ruikt.
De roze balletschoentjes pakt ze als eerste uit de tas. De tutu met het brede satijnen lint drukt ze tegen haar gezicht.
Heel even.
Drie maanden geleden kocht ze het van haar spaargeld in een bal-letwinkel aan Achterburchsegracht.
Het is haar geheim.
Tijdens het omkleden voelt ze zich veranderen; van rups naar een vlinder.
Het strikken van het lint gaat moeizaam. Het mag niet teveel kreuken.
Met gesloten ogen staat ze een paar seconden voor de spiegel en

fantaseert dat de schemerige zolder in een balzaal verandert.
Ze strekt haar armen sierlijk boven haar hoofd en draait rond.
En rond.
Haar ogen onophoudelijk gericht op de ballerina in de spiegel.
Pas de bourré, twee stappen naar achteren en één naar voren.
In het tempo kort, kort, lang.
Een Pirouette, gevolgd door een chassé.
Opnieuw een Pirouette.
Alsof ze boven de grond zweeft.
Dit is geluk.
De voetstappen beneden in huis hoort ze niet.
Ze danst en voelt zich vrij als nooit te voren.
In het licht van de oude lamp verschijnt een gedaante.
Ogen loeren.
Opeens ziet ze in de spiegel iets bewegen.
Geschrokken draait ze zich om en tuurt naar het trapgat.
'Wie is daar?' vraagt ze met trillende stem.
De stilte is angstaanjagend.
'Nico?'
Nico is haar broer.
De stilte bonst in haar hoofd.
Niemand antwoordt.
Ze kleedt zich om en zet de bruine tas tussen de dozen terug.
Langzaam sluipt ze naar het trapgat.
Er is niemand.
Toch?

12

Ruzie

'Slecht nieuws?'

Chrissy tilt haar hoofd op en kijkt Fedor niet begrijpend aan.

'Ik zag dat je schrok van het sms'je.'

Het zou niet slim zijn om Fedor te vertellen wat er precies aan de hand is. Eigenlijk weet ze dat zelf ook niet. Marjolein is kwaad, omdat ze niet op het afgesproken tijdstip op het marktplein was. Ze is nooit te laat.

Ze zit hier wél met Fedor.

Dé Fedor!

Daar ging het toch allemaal om?

Chrissy houdt de telefoon in haar hand geklemd. Ze kan Marjolein bellen of een sms'je sturen. Dat is een kleine moeite. Maar om door haar eigen vriendin voor een trut te worden uitgescholden, pikt ze niet. Met een zucht laat ze de telefoon in haar jaszak glijden. Marjolein mag bellen als ze dat wil.

Chrissy weet niet goed waar ze met Fedor over moet praten. Ze voelt zich ongemakkelijk door de vreemde situatie.

Fedor vraagt naar welke school ze gaat.

'Ik ben toegelaten op Dans Academie Roosburch.'

Fedor neemt haar bewonderend op. 'Dus jij bent een danstalent.'

Ze schokt met haar schouders. 'Nou ja, ik heb er alles voor over.'

'Alles?'

'Ik hou van dansen.'

'Wil je een professionele danseres worden?'

'Als dat zou kunnen,' antwoordt Chrissy lachend. 'Maar dan moet ik heel goed zijn en veel geluk hebben.'

'Elke avond in een andere schouwburg met een balletgezelschap het Zwanenmeer dansen?'

'Zou zo maar kunnen. Ik denk dat ik voor moderne dans kies.' Chrissy legt uit waarom de academie anders is dan het gewone voortgezet onderwijs. 'Het is een vooropleiding wat het dansen betreft. Ik zit net als jij in een brugklas. We krijgen les in examenvakken, maar bepaalde lessen vervallen. Die uren zijn bedoeld om te dansen.'

'Klinkt gaaf!'

'Zou je ook willen dansen?'

Fedor lacht. 'Zitten er jongens in jouw klas?'

Chrissy houdt drie vingers omhoog.

'Drie?!'

'Valt je dat tegen?'

Fedor schokt met zijn schouders. 'Ik ken geen jongens die op ballet zitten.'

'Er zijn best veel jongens die dansen.'

'Breakdance!' knikt Fedor. 'Ik heb er niet zo veel mee.'

'Je bent niet sterk.'

'Moet dat dan?'

'Nooit gezien dat een balletdanser regelmatig ballerina's optilt?'

'Krachtpatsers!' grijnst hij.

'Welke opleiding wil jij later doen?'

Hij schudt zijn hoofd.

'Er is toch wel iets dat je graag zou willen worden? Piloot of brandweerman?'

'Directeur van een pretpark!'

Ze lachen.

Hij is mooi als hij lacht, denkt ze.

Net als Stefan.

Als het ijsje op is, staat Chrissy op. Dat sms'je van Marjolein zit haar dwars.

Fedor vraagt waar ze woont.

'Aan de Buitenlaan.'

'Ik moet ook die kant op.'

Heel even twijfelt Chrissy of ze Fedor van Marjolein zal vertellen of niet.

Ze doet het niet. Marjolein zoekt het zelf maar uit. Deze prachtkans is door haar eigen schuld aan haar neus voorbij gegaan.

Bij het grote kruispunt slaat Fedor rechtsaf. Chrissy bedankt hem nog eens voor het ijsje.

'Wij komen als helden in de geschiedenisboeken van de kinderboerderij. Dat is wel een ijsje waard toch?' Hij steekt zijn hand op. 'Succes met dansen!'

'Doei!' roept Chrissy en fietst alleen verder.

Wat een rare middag.

Ze neemt zich voor om straks te oefenen. Misschien lukt het haar om die vreemde knoop uit haar maag weg te dansen.

Wat bezielt Marjolein?

Niet aan denken.

Haar gedachten gaan terug naar haar eerste balletles. Ze stond met een paar meisjes in een kring en hielden elkaars hand vast. Chrissy weet nog precies wat de balletjuf zei. 'Rechtop staan. Dat is belangrijk. Hou elkaars handen vast. Dan heb je steun. Met je rechtervoet raak je de vloer aan, alsof je hem wilt schoonvegen.'

De juf deed het voor. Chrissy vond het prachtig te zien hoe ze haar been losjes vanuit de knie van voor naar achteren zwaaide en met de voorkant van haar voet de grond aanraakte. Ze benadrukte dat je je rug recht moest maken en vooral niet naar de grond kijken. 'De houding van een danser is ontzettend belangrijk.'

Wanneer de balletjuf de muziek startte, ging er een warme golf van geluk door haar heen. Klassieke muziek vond ze geweldig. Aan het eind van de eerste les begonnen ze met het leren van een dans. Een klein stukje. Iedere volgende les werd dat uitgebreid. Weken achtereen danste ze in de kamer; twee passen opzij naar links, twee naar rechts. Een sprong naar voren, sprong naar achteren, vier kleine stappen naar voren en een halve slag omdraaien.

Chrissy weet dat ze op de dansacademie tot vervelends toe moeten oefenen.

'De oefeningen zijn de basis die je voor alle dansen gebruikt,' zei Barbel. 'Vanuit de basis kun je de wereld uitdansen.' Dat klonk bijzonder toen ze dat in het Duits zei.

Plotseling doemt Marjolein op uit het niets. Ze remt en zet haar fiets dwars op de weg.

Chrissy kan haar nog maar net ontwijken: 'Idioot!' gilt ze. 'Waar heb jij last van?'

'Van jou! Je bent walgelijk. Je pikt hem van me af.' Marjoleins stem slaat over.

'Kom op, zeg! Ik ben niet verliefd op hem.'

'Ik zag jullie!'

Chrissy herinnert zich het moment dat ze het konijn had gevangen en schiet in de lach. 'Het is niet wat je denkt!'

'Je bent een trut!' Marjoleins ogen vonken wanneer ze haar fiets draait.

'Hé Lein! Het is een vergissing.'

'Ik ben niet blind!' raast Marjolein.'

'Ik kan het uitleggen!'

'Jullie stonden bij de bosjes!' Marjolein fietst woedend weg.

'Bekijk het dan maar,' mompelt Chrissy geschrokken.

13

Raar mens

Chrissy zit in haar eentje aan de ontbijttafel een geroosterde boterham te eten. Ze heeft een elastiekje in haar lange blonde haar gedraaid.

Ze hoort Robin naar beneden komen. Hij heeft ogen waarmee hij dwars door haar heen kan kijken. Hij weet als eerste wanneer er iets aan de hand is. Dat is soms lastig. Verder wordt ze wel eens moe van zijn opgewekte karakter en voorspelbare grappen.

'Aah, zusje!' groet hij vrolijk. 'Ga je vandaag weer dansen?'

'Wat dacht jij?!' antwoordt ze snibbig.

'Chagrijnig?'

Chrissy trekt grommend haar bovenlip op.

'Wow, ik hou me gedeisd,' roept hij. Robin neemt tegenover haar aan tafel plaats en maakt een lunchpakket.

De stilte gonst in de keuken.

'Vind je het niet leuk op de dansacademie?'

Chrissy rolt verveeld met haar ogen. 'Stomme vraag.'

'Wat is er?'

'Ruzie met Marjolein.'

'Ai.'

'Het slaat nergens op.'

'Balen.'

Chrissy praat steeds sneller wanneer ze hem in het kort de oorzaak van de ruzie uitlegt. Tussen Marjolein en Chrissy zijn wel eens irritaties geweest, maar nooit ruzie.

'Wat een toestand,' grinnikt Robin. 'Het lijkt wel een soap. Bij het park zag ze jou met die aantrekkelijk Fedor bij de struiken 'iets' onduidelijks doen. En ja, toen kon zij natuurlijk maar één conclusie trekken.'

'Ze vindt me een walgelijke trut.'

'Verliefde mensen zijn vreselijk.'

'Jij hebt er ook wel eens last van gehad,' verwijt ze hem.

'Rustig maar,' grijnst Robin. 'Het gaat weer goed met me.'

'Wat moet ik doen?'

'Om het goed te maken?' Robin kijkt zijn zusje peinzend aan. 'Niets.'

Ze legt een hand op haar buik. 'Ik voel me rot.'

'Zij is boos! Zij heeft je uitgescholden! Zij is weggefietst! Jij kreeg geen kans om het uit te leggen. Laat het maar bij Marjolein. Dansen gaat wel lukken, hoor!'

'Als je danst moet je je licht voelen.'

'Ik zie haar misschien op school…'

'Niet mee bemoeien!' onderbreekt Chrissy.

'Wat, als ik jullie kan verzoenen?' vraagt Robin met verdraaide stem.

'Laat haar zelf maar komen.'

'Hoe ziet Fedor eruit?'

'Hoezo?'

'Dan kan ik hem de groeten van jou doen.'

'Dan krijg je een knallende ruzie met mij!'

'Val je op één van de balletjongens?'

Chrissy maakt een snuivend geluid en reageert verder niet. Ze voelt zich voor een deel opgelucht nu ze haar broer heeft ingelicht. Maar het zware gevoel blijft in haar buik hangen.

Sinds gistermiddag heeft Marjolein geen sms'je of mail gestuurd.

Ach, ze moet maar in haar eigen sop gaar koken, denkt Chrissy. Het liefst zou ze Marjolein duidelijk willen maken dat er sprake is van een groot misverstand. Iets weerhoudt haar daar van.

Deze keer fiets ze samen met haar broer een eindje op. Wanneer ze elk een andere kant op moeten, zegt Robin dat ze zich moet bezighouden met dansen en niet met een jaloerse vriendin.

'Ik zal het proberen!' roept ze hem na.

Een paar minuten later roept iemand Chrissy's naam. Wanneer ze achterom kijkt, ziet ze dat Sara haar al staand op de pedalen probeert in te halen.

'Hoe vind je het op de academie?' vraagt ze buiten adem.

'Gaaf.'

'Ik ook.' Ze schraapt haar keel. 'Nog boos?'

Chrissy schudt haar hoofd.

'Weet je, ik heb alleen maar het dansen.'

Chrissy begrijpt niet wat ze met de opmerking bedoelt. 'Geen andere hobby's?'

'Ik heb een nare tijd gehad. Maar als ik dans, voel ik me helemaal mezelf.'

'Dat is belangrijk,' mompelt Chrissy.

'Als dansen stopt, heb ik niets meer.'

'Waarom zou je stoppen?'

'Als er iets misgaat, moet ik van de dansacademie af.'

'We zijn nog maar net begonnen!'

'Daarom…' Sara maakt haar zin niet af.

'Wat?'

'Daarom reageerde ik wat vreemd.'

Ze fietsen zwijgend naast elkaar.

Sara verbreekt de stilte door te vertellen dat ze uitkijkt naar vrijdag. Dan wil Lars streetdance geven. Hij is daar goed in.

Vandaag maken ze kennis met een nieuwe docent jazzdans.

Sara hoopt dat het een aardige vrouw is.

'Vroeger dacht ik dat jazzballet iets met jazzmuziek te maken had.'

Chrissy glimlacht. 'Ik ook.'

Beiden weten uit ervaring dat er onder de noemer jazzballet veel verschillende dansstijlen vallen. Show en musicaldans zijn richtingen binnen jazzdans. Ook daar zullen ze les in krijgen.

De meisjes zijn vroeg op de academie. Samen slenteren ze door de stille gang naar de oefenzaal.

Sara pakt Chrissy plotseling bij de arm en trekt haar naar achteren. 'Daar heb je haar weer,' fluistert ze.

Barbel Schmidt loopt langzaam langs de verschillende deuren in de gang. Ze kijkt schichtig om zich heen alsof ze bang is betrapt te worden. Wanneer ze denkt dat de kust veilig is, opent ze behoedzaam de deur, werpt een snelle blik naar binnen en loopt zoekend verder.

Waar is zij mee bezig?

'Volgen?' gebaart Sara.

Chrissy knikt.

Barbel verdwijnt de hoek om. Chrissy en Sara versnellen hun pas.

Ze opent een andere deur.

'De werkkast,' giechelt Chrissy.

'Raar mens.'

'Ze is wel aardig.'

'Oké, maar ze doet raar.'

'Ze zoekt iets.'

'Dat snap ik,' giechelt Sara.

'Iets belangrijks.'

'In de bezemkast?'

'Ze heeft een geheim.'

'Hoe weet je dat?'

'Gewoon, dat voel ik,' fluistert Chrissy.

De meisjes zien dat Barbel Schmidt aan het eind van de gang een deur opentrekt en de ruimte aarzelend in loopt.

'Wat moet ze daar?' mompelt Sara. 'Dat is geen leslokaal.'

Al een paar seconden later stapt Barbel de gang op en duwt de deur zachtjes in het slot.

'Niets gevonden,' grinnikt Sara zachtjes.

Chrissy stelt voor om naar haar toe te gaan en vragen wat ze zoekt. 'Dat is de enige manier om er achter te komen wat ze zoekt.'

'Ze vertelt ons vast niets.'

'We kunnen het toch proberen?'

'Mwah.'

Barbel Schmidt stapt de toiletruimte binnen. Het tweetal volgt gniffelend.

De zwarte tas van Barbel staat geopend op een brede plank naast de spiegel. Er steekt een dubbelgevouwen krant uit.

Sara sluit zich op in een toilet. Chrissy probeert in de tas te kijken, maar ziet niets bijzonders. Ze trekt de krant een centimeter omhoog en ziet dat het een krant van een tijdje geleden is.

Waarom neemt ze een oude krant mee?

Toeval?

Zou er iets in staan wat belangrijk is?

Hoeveel tijd heeft ze om de krant te bekijken?

Ze draait de kraan open en trekt hem met trillende handen uit de tas. Het hart klopt in haar keel. Zoekend glijden haar ogen over de teksten.

Hebbes! In het midden staat een foto van de academie.

Dans Academie Roosburch ontvangt kostuums van Opera Nederland.

Chrissy is nerveus en weet dat ze niet veel tijd meer heeft.
De toiletdeur kan elk moment open gaan.
Ze duwt de krant terug in de handtas en draait de kraan dicht.
Drie seconden later stapt Barbel uit de toiletruimte. Ze kijkt verrast wanneer ze Chrissy ziet.
Ze groeten elkaar zachtjes.
Chrissy droogt haar handen met een papieren handdoek en gooit die na gebruik in de prullenbak.
Sara voegt zich bij hen en werpt een vragende blik naar Chrissy, die op haar buurt haar wenkbrauwen omhoog trekt.
'Kunt u alles vinden in dit grote gebouw?' vraagt Sara in het Nederlands.
Barbel neemt haar fronsend op. 'Noch einmal, bitte?'
Sara herhaalt haar vraag langzaam.
Wat bezielt deze vrouw?
Waarom praat ze niet gewoon Nederlands?
'Ik heb een plattegrond gekregen,' legt ze uit. 'De oefen-ruimtes voor het dansen weet ik zo te vinden.' Even weet ze niets meer te zeggen.
'Wat leuk dat u naar deze academie bent gekomen,' zegt Chrissy.
'Ik wist dat ze hier regelmatig gastdocenten van 'all over the world' uitgenodigd worden. Toen ik gevraagd werd, heb ik het aanbod met beide handen aangenomen.'
'Kent u Nederland?'
Ze knikt, droogt haar handen en pakt de tas.
Heeft ze door dat Chrissy haar aan het uithoren is?

In de deuropening blijft ze staan. 'Ik geef vandaag les. De jazzdocent is ziek.'

De meisjes begrijpen wat ze zegt.

Barbel kijkt op haar horloge. 'Ik zie jullie over een kwartier!' Met een vriendelijk knikje verdwijnt ze in de gang.

'Jammer,' mompelt Sara. 'We zijn niets te weten gekomen.'

'Ik vind het maar raar dat ze Duits spreekt, terwijl ze Nederlands kan praten. Dat doe je toch niet?'

'Ze had een oude krant in haar tas,' vertelt Chrissy peinzend. 'Er stond een artikel in over de dansacademie. Een Nederlands operagezelschap heeft kostuums geschonken.'

'Iemand zal die krant wel aan haar gegeven hebben.'

In de brede hoofdgang is het druk geworden. Overal lopen studenten.

Chrissy merkt dat ze zich eigenlijk steeds beter op haar gemak voelt bij Sara. Misschien is ze leuker dan Marjolein...

Elke keer opnieuw wanneer ze aan Marjolein denkt, voelt ze boosheid opborrelen.

In de kleedkamer vertellen ze aan de anderen van groep 1D dat Barbel Schmidt invalt voor de zieke jazzdocent.

'Ik vind het gaaf om les van Barbel te krijgen,' zegt Vera. 'Ze is goed.'

'Ik versta geen Duits,' grijnst Denise.

Vijf minuten later staat de groep in de dansruimte.

Barbel Schmidt draagt een witte broek met een paars jasje. Het staat haar mooi.

Voor de spiegelwand vormen ze met elkaar een kleine kring. '

Barbel legt uit dat ze deze les niet voorbereid heeft. 'De jazzdocent meldde zich vanmorgen vroeg ziek. Toen hebben ze mij gevraagd. Ik zal een beetje moeten improviseren. Wil iedereen zijn naam nog eens noemen? Dan noteer ik wie er aanwezig is.'

Chrissy, Elmy, Nynke, Anne, Quinty, Denise, Sara, Amarins, Linde, Vera, Coen, Rachid en Stefan!

Iedereen is present.

Stefan gaat naast Chrissy staan. Ze doet alsof ze het niet merkt.

Barbel kiest voor een andere warming up. Een soort van aerobics; springen op de maat, karate pasjes tussendoor. Daarna doen ze rek- en strekoefeningen aan de barre om vooral de beenspieren langer te maken. Barbel heeft ondertussen een muzieknummer uit de populaire Nederlandse top veertig gekozen.

'Een rustig nummer met een mooie zweving,' vertelt Barbel. Daarmee bedoelt ze dat je gewoon lekker met de muziek mee kunt bewegen.

Ze staan in een rechte lijn naast elkaar in het midden van de zaak.

'We beginnen met makkelijke pasjes!'

Amarins heeft haar dag niet. Het is allesbehalve makkelijk. Wanneer iedereen zijwaarts naar links uitstapt, doet zij dat naar rechts, waardoor ze botst met degene die naast haar staat. Na de derde keer, schiet iedereen in de lach. Barbel pakt een lint uit haar tas en knoopt dat om haar rechtspols. 'Dat is rechts!' knipoogt ze. 'Kun je dat onthouden? Het gebeurt vaker dat dansers rechts en links door elkaar halen.'

Al snel worden de pasjes ingewikkelder. Barbel doet het voor. De muziek wordt gestart en het dansen gaat beginnen.

Na een uur oefenen ze in tweetallen en moeten om de beurt laten zien welke vorderingen ze hebben gemaakt. Volgens Barbel leren ze de dans op die manier sneller.

Wanneer ze ziet dat meer dan de helft moeite heeft met pasjes maken, schudt ze haar hoofd. 'Het is ontzettend belangrijk dat je direct aangeeft wanneer een pas moeilijk is. Anders wordt het dansen niets! Je raakt in de war. Een sprong doe je maar half en vervolgens kom je met de draai niet uit.'

'Ze is streng,' moppert Vera.

Na twee uur dansen en een snelle douche wisselt klas 1D van ruimte. Ze moeten naar het wiskundelokaal.

Ze zien dat Barbel Schmidt in de gang een docent aan houdt.

Chrissy versnelt haar pas om dichterbij te komen.

'Kon jij iets horen?' vraagt Sara even later.

Chrissy knikt. 'Ze wilde weten waar de opslag van kostuums is.'

14

Oefenen en nog eens oefenen

Aan het eind van de schooldag zet Chrissy haar telefoon weer aan.

Zou er een bericht van Marjolein zijn?

Nee!

Ze heeft twee oproepen gemist, maar Marjoleins nummer staat er niet bij.

Langzaam laat Chrissy lucht tussen haar samengeperste lippen door ontsnappen.

'Dan niet,' sist ze.

Ze is niet van plan om te reageren, zolang Marjolein niets van zich laat horen.

'Chrissy?!' roept Sara opgewekt. 'Heb je zin om vanmiddag te oefenen?'

De vraag overvalt Chrissy.

'Het kan ook een andere keer,' voegt Sara er onzeker aan toe.

'We hebben veel huiswerk.'

'Een half uurtje?'

'Bij jou?'

'In Hevelem?!'

'Je bedoelt bij mij,' mompelt Chrissy.

'Dat zou handiger zijn.'

Chrissy heeft het gevoel dat Sara zich opdringt. Daar houdt ze niet van. Eigenlijk heeft ze geen zin om iemand mee te nemen. Zolang die ruzie met Marjolein niet opgelost is, zal dat vervelende knagende gevoel in haar buik blijven.

Sara merkt dat Chrissy niet enthousiast is. Dat vindt ze niet zo leuk. Ze loopt met nijdige passen naar haar fiets.

'Misschien ook niet zo'n goed idee.'

Chrissy vraagt haastig hoe lang het fietsen is naar haar huis.

Sara staat voorover gebogen en morrelt met het fietssleuteltje in het slot. Ze antwoordt niet.

'Een half uur?'

'Laat maar.'

'Je kunt toch wel zeggen hoe lang het fietsen is?'

'Twintig minuten!'

'Het is mooi weer.'

'Gelukkig wel.' Sara gaat op het zadel zitten.

Chrissy staart haar verbaasd aan wanneer ze haar passeert.

Ze wordt niet goed van al die chagrijnige mensen om haar heen.

Als ze geen zin heeft, mag ze dat toch zeggen?

Waarom doet iedereen zo chagrijnig?

Ligt het aan haar?

'Sara!' Chrissy steekt snel haar fietssleutel in het slot en haast zich over de binnenplaats. 'Sara!'

Een paar meter buiten de poort staat Sara met een verveelde blik in haar ogen te wachten.

'Ik vind het gezellig om samen te oefenen.'

'We hebben veel huiswerk. Dat was ik vergeten.'

'Dat kan vanavond ook.'

'Als er meer tijd is, spreken we af.'

'Ik wil wel een uurtje oefenen.' Chrissy hoort het zich zelf zeggen en beseft dat zij nu Sara probeert over te halen. Het lijkt alsof ze in een omgekeerde wereld terecht is gekomen.

'Oké, is goed.'

'Bij mij?'

'Is ook goed,' lacht Sara.

Samen fietsen ze door de binnenstad van Roosburch naar de Buitenlaan.

Waar Chrissy bang voor is gebeurt!

Vanuit tegenovergestelde richting nadert Marjolein op haar fiets. Chrissy voelt zich ongemakkelijk. Als Sara er niet bij was geweest, zou ze naar Marjolein toegaan. Nu twijfelt ze.

Er zijn twee mogelijkheden. Ze zegt 'hallo' of ze doet alsof ze Marjolein niet ziet.

Ze kiest voor het laatste.

Het is moeilijk om de andere kant op te kijken.

Zou Marjolein hetzelfde doen?

Twintig meter verderop kijkt ze snel achterom.

Marjolein ook.

Shit!

Chrissy is blij als ze de hoek om gaan en haar huis naderen. Ondertussen vertelt ze dat haar ouders beiden psycholoog zijn. 'Mijn vader werkt in het ziekenhuis. Mijn moeder heeft haar praktijk aan huis.'

'Dan kun je de muziek nooit hard zetten.'

'Ze werkt geen vierentwintig uur,' lacht ze.

Chrissy verwacht dat Sara iets over haar ouders zal vertellen, maar dat doet ze niet.

De achterdeur is op slot.

'Niemand thuis,' constateert Chrissy en vist de sleutel uit haar tas.

In de keuken snijdt Chrissy dikke plakken van een rozijnencake af en schenkt twee glazen koude sinas in.

Sara zoekt op de laptop van Robin naar de muziek waarop ze vanochtend gedanst hebben.

Chrissy schuift stoelen opzij.

'Wil je in de kamer dansen?'

'Hier hebben we ruimte.'

'Komt er niemand thuis?'

Chrissy haalt haar schouders op.

'Vindt jouw broer het niet gek als we hier dansen?'

'Hij is wel wat gewend.'

Na de warming up schuiven ze de grote bank naar de andere kant van de kamer.

'Stefan is een super aardige jongen,' zegt Sara opeens.

Chrissy start de muziek en negeert haar opmerking. Denken aan Stefan geeft een onrustig gevoel.

Naast elkaar oefenen ze een deel van de pasgeleerde dans.

'Het gaat voor geen meter,' moppert Sara na een paar minuten. 'Ik ben uit het ritme en de passen lukken niet. Kun jij de Flatback?'

'Nee,' Chrissy schudt lachend haar hoofd. 'Ik begrijp wel hoe die moet, maar kan het niet.'

De 'Flatback' houdt in dat van de rug een denkbeeldig tafeltje gemaakt moet worden.

Chrissy haalt een grote passpiegel uit de hal en zet die in de kamer.

'De Flatback is te moeilijk voor ons,' zucht Sara. 'Volgens Barbel moet er gewoon een theekopje op kunnen staan.'

'We gaan het straks uitproberen.'

'Met echte kopjes?'

'Gevuld met thee! Waarom niet?'

'Het hele servies gaat aan diggelen.'

'Mijn moeder zei laatst nog dat ze uitgekeken was op het servies.'

Ze oefenen de Flatback voor de spiegel.

Een Flatback maken is lastig omdat je in plaats van naar achteren, naar voren leunt en tegelijkertijd op de tenen moet staan. Dat betekent dat je heel goed je evenwicht moet kunnen bewaren. Volgens de meisjes is dat onmogelijk.

Ze hebben plezier wanneer ze met plastic bekertjes op hun rug oefenen.

Sara schudt haar hoofd wanneer de beker voor de zoveelste keer van haar rug glijdt. 'Oefenen, oefenen en nog eens oefenen.'

'En, nooit opgeven!'

'Nee! Dat zeker niet!' beaamt Sara.

'Misschien kunnen we dit vaker doen,' stelt Sara aarzelend voor.

'Dansen?' Chrissy schuift een stoel terug naar de plek.

'Wat dacht jij dan?'

'We mogen in de oefenruimte van school.'

'Weet ik. Thuis kunnen we ook oefenen.'

Zie je wel, denkt Chrissy, Sara dringt zich op.

Ze kan er niet tegen als iemand druk op haar legt. Ze wil zich vrij voelen en zelf kunnen kiezen wat ze wel of niet doet.

Sara schudt haar haar naar achteren. 'We zullen elke dag moeten oefenen.'

Chrissy knikt. 'Ja, maar er moet ook huiswerk gemaakt worden! Wanneer we een toets hebben, zal ik minder dansen en meer tijd aan de andere vakken besteden.'

'Logisch.'

Samen schuiven ze de bank naar de andere kant.

Chrissy kijkt naar de klok. 'Bijna half zes.'

Sara gaat naar de hal om haar spullen te pakken.

Chrissy loopt mee.

'Waren ze bij jou thuis enthousiast toen je vertelde dat je naar de dansacademie wilde?'

Het duurt even voordat Sara reageert. 'We moeten eerst

maar zien of we op deze opleiding mogen blijven,' antwoordt ze luchtig.

'Hebben ze er geen vertrouwen in?'

'Dat zeg ik niet.'

'Aah, ik begrijp het. Jij hebt er geen vertrouwen in,' grijnst Chrissy. Ze merkt dat Sara haar bruine ogen steeds wegdraait.

'Jouw ouders wel?'

'Ze zeggen dat het belangrijk is om de dingen te doen die je graag wilt.'

'Dat bedoel ik!'

'Mijn ouders zijn allebei psycholoog,' begint Chrissy met een gemaakt stemmetje. 'Ze beweren dat wanneer je ontdekt wat je innerlijke drijfveren zijn en datgene doet wat je werkelijk wilt, je een gelukkig mens wordt.'

Sara schiet in de lach om de manier waarop Chrissy dat vertelt. 'Ik weet precies wat mijn innerlijke drijfveren zijn.'

'Laat me raden! Dansen?'

'In één keer goed! Bravo.'

'Blijkbaar herken ik mijzelf in de innerlijke drijfveren van jou.'

Ze lachen allebei.

Misschien klikt het met Sara, schiet het door Chrissy's hoofd.

Er is iets, dat ze niet kan plaatsen. Datzelfde gevoel heeft ze bij Barbel Schmidt. Alsof beiden een geheim hebben.

Waarom dringt Sara zich op?

Waarom ontwijkt ze sommige vragen?

'Mijn ouders willen graag dat ik leer kiezen,' vertelt Chrissy.

'Leren kiezen? Dat kan iedereen toch?'

'Kiezen is niet makkelijk.'

Sara kijkt haar niet begrijpend aan. 'Een kwestie van iets

wel of niet doen.'

'Dat wat je kiest, bepaalt veel van je leven.'

Sara bijt peinzend op de binnenkant van haar wang. Dat Chrissy nadenkt over dit soort dingen heeft alles te maken met het beroep van haar ouders. Oké, kiezen is moeilijk. Dat weet zij ook. Als je voor het ene kiest, sluit je vaak iets anders uit. Leren zelf keuzes maken, dat klinkt wat vergezocht.

'Ik weet wat je denkt,' glimlacht Chrissy. 'Je vindt het overdreven.'

'Een beetje wel.'

'Aan tafel hebben we soms van dat soort gesprekken. Mijn ouders beweren dat mensen meestal niet kiezen voor dat wat ze écht willen. Als je kiest, denk je vaak aan anderen. Wat je ouders of vriendinnen er van vinden. Je wilt tenslotte niemand kwetsen. Als je zou doen wat je echt wilt, voelt dat vaak egoïstisch. Dat geeft een schuldgevoel. Vaak houden we rekening met gevoelens van een ander.'

'Dat is een goede eigenschap.'

'Jawel, maar als je een beslissing neemt en er zelf niet gelukkig mee bent, heeft het geen zin. Dus...?'

'Wat, dus?'

'Kiezen is lastig.'

Sara kan alleen maar toegeven dat mensen vaak dingen t egen hun zin doen.

'Daar wordt niemand gelukkig van.'

'Wat zijn we filosofisch,' grinnikt Sara. Ze ritst haar jas dicht.

Sara heeft weinig van deze gesprekken. Eigenlijk vindt ze het wel leuk om over dit soort dingen van gedachten te wisselen.

Esther en Martin praten weinig met haar. Dat ligt voornamelijk aan haar. Wanneer ze belangstelling tonen, klapt ze dicht en reageert onverschillig.

'Vaak weten we zelf niet wat we willen,' zegt Chrissy. 'Een keuze hangt meestal van anderen af.'

Sara schokschoudert. Ze weet niet of dat bij haar ook zo is. Ze zal er in de toekomst op letten.

Het kan niet de bedoeling zijn dat mensen kiezen voor iets wat ze niet willen.

Chrissy stelt voor om een stukje mee te fietsen.

'Dat hoeft niet. Ik ben langer gebleven dan ik wilde. Het leven bestaat niet alleen uit dansen!' voegt ze er lachend aan toe. 'Er moet huiswerk gemaakt worden.'

'Wie zegt dat?'

'Ik!'

'Typisch een uitspraak van ouders die vinden dat je altijd met school bezig moet zijn om later een goede baan te krijgen. Daar hoort dansen niet bij.'

'Klopt. Er valt geen droog brood mee te verdienen,' spot Sara.

'Hoeft ook niet. Als we maar gelukkig zijn.'

Als Chrissy en Sara buiten staan, komt Robin aan fietsen. Chrissy stelt hem aan Sara voor. 'Ze zit bij mij op de dansacademie.'

'Samen huiswerk gemaakt?' vraagt hij plagend.

'Welnee! We hebben geoefend.'

Robin schudt afkeurend zijn hoofd. 'Duffe dansmarietjes!'

'Hij is tof,' zegt Chrissy wanneer Robin buiten gehoorafstand is. 'Maar soms kan ik hem wel wat aandoen. Vooral als hij denkt dat hij grappig is. Heb jij broers of zussen?'

'Nee.'

'Lijkt me lastig om enig kind te zijn. Je zit altijd met je ouders opgescheept.'

'Mijn ouders zijn dood.'
Chrissy schrikt van haar woorden.
Sara zet haar voet op de fietstrapper.
'Sorry', stamelt Chrissy. 'Dat wist ik niet.'
'Kon je ook niet weten.' Ze stapt op en rijdt zonder iets te zeggen weg.
'Tot morgen!' roept Chrissy.
Maar Sara hoort het niet meer.

15

Ontdekt!

Dertig jaar geleden.

Er is iemand bij het trapgat. Ze zag hem wegduiken toen ze keek.
Ze zit als een rat in de val.
Hoe komt ze hier ooit weg?
Ingespannen luistert ze naar de stilte in het huis.
De roze balletschoentjes en de tutu met het brede satijnen lint heeft ze in de bruine tas gedaan. Die heeft ze in de oude kast opgeborgen. De rits dicht, om te voorkomen dat haar kostbare balletspullen naar boenwas gaan ruiken.
Ze haat die geur.
Besluiteloos staat ze minutenlang op zolder. Totdat ze al haar moed bijeen heeft geschraapt en naar beneden gaat.
Op elke etage staat ze stil om te luisteren.
De kamers durft ze niet te doorzoeken.
Is er een insluiper in huis.
Opgelucht staat ze even later in de grote hal met de witte marmeren vloer en inspecteert de ruimte.
Ze kijkt vluchtig in de spiegel naar de ruimte achter haar.
Niets beweegt.
Misschien heeft ze het zich ingebeeld.
Niemand mag haar geheim ontdekken.
Ze voelt aan de achterdeur.
Op slot.
Zie je wel!
Er kan niemand binnen zijn.
Ze durft niet naar zolder terug om te dansen.
Dat zal dagen duren.

Later zal ze doen wat ze zelf wil; dansen.

Haar leven is toch van haar zelf?

De zachte voetstappen op de trap hoort ze niet.

Even later ruikt ze een vreemde lucht.

Ze gaat naar het achterraam.

Boven het schuurtje kringelt een zwarte sliert rook omhoog.

Hoe kan dat?

Ze doet haar schoenen aan en stapt aarzelend naar buiten.

Even is ze bang dat iemand achter haar de deur in het slot zal trekken.

'Je mag me wel bedanken,' grijnst haar broer die met zijn rug tegen de schutting geleund staat.

Geschrokken kijkt ze naar hem.

De scherpe geur dringt haar neusgaten binnen.

'Wat zou er gebeurd zijn als papa die spullen op zolder ontdekt zou hebben?' vraagt hij uitdagend.

Haar maag krimpt ineen.

'Welke spullen? Wat heb je gedaan?' fluistert ze bang.

Ze hoort hem lachen, wanneer ze langs het schuurtje rent.

'Struikel niet over de tas!' waarschuwt hij.

Te laat!

Ze valt languit.

Met tranen in haar ogen ziet ze hoe het bovenstukje van haar roze tutu vlam vat.

Ze balt haar handen tot vuisten en bonkt er mee op de grond.

Haar wangen nat van tranen.

Alles weg.

'Gemene rotzak!' schreeuwt ze.

Maar er komt geen geluid uit haar keel.

16

De oude boom

Wanneer Barbel Schmidt de dansacademie via de zijuitgang verlaat, dringt de geur van vochtige aarde vermengd met rottende planten haar neusgaten binnen. Ze blijft een ogenblik staan. Haar blik glijdt langs de dikke kasteelmuur en de grote moderne ramen op de eerste etage. Oud en modern zijn op een fantastische manier met elkaar verbonden.

Het beeld van de kasteelruïne, dertig jaar geleden, staat nog op haar netvlies gegrift. Ze weet nog precies hoe ze vanuit de stad langs het struikgewas bij het achterste deel van het kasteel kon komen.

Het kasteel, tenminste de overblijfselen daarvan, sprak tot ieders verbeelding.

Volgens overleveringen zou er een ondergrondse gang gegraven zijn die naar het marktplein van Roosburch leidde. Niemand kon dat bevestigen, want het is nooit onderzocht.

Barbel gelooft dat er een onderaardse gang is. Het kasteel heeft voor haar altijd een magische uitstraling gehad.

Dertig jaar geleden leek het erop dat voor altijd een ruïne zou blijven. Een actiegroep uit Roosburch zette zich in voor het behoud van dit bijzondere historische gebouw. Uiteindelijk slaagden ze erin om samen met de gemeente een nieuwe bestemming voor het kasteel te vinden.

Dat het een gerenommeerde dansacademie zou worden, had zij nooit kunnen bedenken. Hoe wonderlijk dingen in het leven gaan…

Via het internet is ze per toeval achter het bestaan van Dans Academie Roosburch gekomen.

Boeken Legger
Linn

Tot haar verbazing deed dat veel met haar.

Het veroorzaakte heimwee.

Of beter gezegd, verlangen.

Naar wie?

Naar wat?

Opeens ziet ze een slingerend paadje van dertig centimeter breed dat tussen varens en struikgewas naar de achterzijde van het gebouw gaat.

Het pad van vroeger!

Ooit liep ze daar om tussen bomen te verdwijnen.

Onzichtbaar worden, om te kunnen dansen op het mos.

Ze was het vergeten.

Barbel schuift de leren riem van haar tas over haar schouder en loopt vastberaden naar de plek die ze vroeger 'het eind van haar wereld' noemde.

Staand tussen de bomen herleeft dat vergeten gevoel van vroeger; geluk en angst.

Later kwam de woede.

De open plek, toen een cirkel van mos, is er niet meer. Daarvoor in de plaats zijn struiken en berkenbomen gekomen.

Daarachter ziet ze de oude grote beuk met brede uitwaaierende takken.

Ze baant zich een weg tussen de struiken door om dichter bij de imposante boom te komen.

Haar ogen turen langs de stam.

Ze was een jaar of negen toen ze haar naam met een mes in de boom kerfde.

Zoeken hoeft ze niet. Haar ogen hechten zich aan haar eigen naam.

BARBERA BALLERINA

Ze glimlacht. Haar droom is uitgekomen.
Met de rug van haar hand wrijft ze tranen van haar wang.
Een kwestie van nooit opgeven.

17

Iets

Barbels vingertoppen glijden over de ingekerfde naam in de ruwe bast. Ze doet een plechtige stap achterwaarts en kijkt vol ontzag naar de oude boom.

Vijftig meter bij haar vandaan zit Sara achter een braamstruik gehurkt.

Ze snapt er helemaal niets van.

Wat is Barbel aan het doen?

Zou ze de boom om één of andere reden vereren?

Krijgt ze bijzondere energie door aanraking?

Is het een manier van meditatie?

Of houdt ze enorm van bomen?

Dat de boom een speciale betekenis voor haar heeft, is wel duidelijk!

Toen Sara bij Chrissy's huis wegfietste, had ze geen zin om naar Esther en Martin te gaan. Ze zullen haar geïnteresseerd opwachten en haar tijdens de maaltijd met hun standaard vragen bestoken.

'Hoe was het op de dansacademie?'

'Hebben jullie al een dans geleerd?'

'Is het moeilijk wat je moet doen?'

'Heb je spierpijn?'

'Ben je één van de besten?'

'Komt er ook een voorstelling?'

'Denk je dat je het allemaal wel kunt?'

'Zou je het erg vinden als je van de academie af moet?'

'Wat zou je later willen doen als het met dansen niets wordt?'

Sara maakte rechtsomkeert en fietste in de richting van

de dansacademie. Onderweg stuurde ze tante Esther een sms'je:

Ik kom een uurtje later thuis
Sara.

Diep in haar hart hoopte ze dat Chrissy haar zou uitnodigen voor het eten.

Sara wil graag een vriendin. Om naar toe te gaan, wanneer ze daar behoefte aan heeft. Maar vooral iemand die ze kan vertrouwen. Bij haar oom en tante voelt ze zich niet op haar gemak, hoe aardig ze ook proberen te doen.

Chrissy reageerde vanmiddag niet enthousiast, maar uiteindelijk is het gelukt om met haar mee naar haar huis te gaan. Kon ze daar maar vaker komen. Chrissy's ouders begrijpen tenminste dat het belangrijk is om datgene te doen wat je gelukkig maakt.

Af en toe is het verlangen te sterk; dan wil ze haar eigen vader en moeder zien en van dichtbij voelen. Elke keer doet dat pijn.

Ze wil dat haar ouders trots op haar kunnen zijn. Dus moet ze sterk zijn.

Pap en mam vonden dat ze prachtig kon dansen. Dat hebben ze vaak gezegd.

Wisten ze maar dat ze is toegelaten op Dans Academie Roosburch.

Meestal gaat er een knop om in haar hoofd, dan wordt alles zwart en stopt het denken. Het gemis van pap en mam is te groot. Hun dood is niet te begrijpen.

'Je moet het accepteren,' zei opa terwijl tranen over zijn wangen stroomden.

Sara besloot het gebouw vanaf de zijkant te benaderen.

Haar fiets heeft ze uit het zicht tegen boom gezet.

Het was haar bedoeling om een rustig plekje te zoeken waar ze over haar toekomst als danseres zou kunnen fantaseren.

Toen zag ze dat Barbel Schmidt zich een weg door de struiken baande.

Sara volgde haar, totdat Barbel bij de grote beuk bleef staan.

Wat zou er gaan gebeuren?

Ze ziet dat Barbel een zakdoek pakt om haar wangen droog te deppen.

Huilt ze?

Barbel legt haar hand opnieuw op de boom. Twee tellen.

Dan draait ze zich ineens om.

Sara maakt zich zo klein mogelijk. Ze wil niet dat Barbel haar ziet.

Zouden ze ooit kunnen achterhalen wat haar bezig houdt?

Wanneer Sara er zeker van is dat niemand haar ziet, richt ze zich op en loopt met een kleine omweg naar de plek waar Barbel enkele minuten geleden stond.

Sara kijkt naar de dikke stam.

Je hebt minstens drie mensen nodig om hem in zijn geheel te omarmen. De boom is zeker tweehonderd jaar oud.

Langzaam loopt ze er om heen.

Een mooie boom, dat wel.

Waarom komt Barbel naar deze plek?

Een zwarte kraai vliegt met veel geschreeuw van een tak op.

Sara schrikt zich wezenloos.

'Stom beest.'

Ze legt haar hand tegen de ruwe bast.

Er gebeurt niets.

Er is geen energiestroom te voelen.

Zoekend glijdt haar blik over de stam.

Op verschillende plaatsen is te zien dat mensen hun naam of een symbool met een scherp voorwerp in de boomstam vereeuwigd hebben.

Sara weet nog precies waar Barbel haar hand legde, maar kan er niet bij.

Huh?

Ze ziet een naam die er duidelijk lang geleden is in gekerfd.

BARBERA BALLERINA

'Barbera Ballerina,' fluistert ze zacht.

De naam betekent iets: Barbera Ballerina.

Wacht!

Een deel van die twee woorden vormen samen haar naam.

Barbel!

Zou het dat zijn?

De gekerfde letters zijn jaren geleden in die boom gezet.

Door wie?

Heeft het iets met Barbel Schmidt te maken?

Dat moet wel.

Sara zag dat ze rechtstreeks naar die boom liep.

Barbera Ballerina!

'Ik heb iets ontdekt,' fluistert Sara opgewonden.

Maar, wat is de betekenis van de ontdekking?

Het liefst zou ze het direct aan Chrissy vertellen, maar ze wil niet opdringerig overkomen.

Thuis heeft ze een lijst met telefoonnummers van haar klasgenoten liggen.

Zal ze wel bellen?

Chrissy moet weten dat ze iets op het spoor is.

18

Trots

'Ben je er al?' Esther kijkt verrast wanneer ze Sara in de keuken ziet verschijnen.

'Ik geloof het wel,' antwoordt Sara snibbig. Ze heeft de pest aan die stompzinnige vragen. Ze kunnen toch zien dat ze er is?

Esther en Martin kijken elkaar vluchtig aan.

Dat ze haar opmerking kinderachtig vinden, weet zij ook wel.

Toen ze wist dat ze op de academie was toegelaten, was het voor opa en oma vanzelfsprekend dat ze tijdens de opleiding bij tante Esther en oom Martin zou wonen.

Hevelem is een kilometer of zes van Roosburch vandaan.

Esther en Martin vonden het geen bezwaar om Sara in huis te nemen. En voordat ze er erg in had was haar verhuizing naar Hevelem een feit.

Esther is een jongere zus van Sara's overleden moeder. Vroeger is er iets gebeurd, waardoor ze elkaar niet zo vaak meer zagen. De reden waarom het niet zo goed boterde tussen de twee zussen, weet Sara niet. Ze gingen normaal met elkaar om, zodat anderen niets merkten, maar wie hen observeerde merkte de ijzige blikken op.

Sara had nooit kunnen bedenken dat ze bij Esther en Martin in huis zou komen.

Het verdriet dat Sara's moeder over die onenigheid had, is de reden dat Sara vaak onverschillig op tante Esther reageert.

Misschien uit wraak?

Toen ze laatst dat telefoongesprek afluisterde, waarin

Esther liet blijken niet enthousiast te zijn dat Sara naar de dansacademie zou gaan, voelde ze hoe die sluimerende boosheid sterker werd.

Ze wonen prachtig in Hevelem. Tenminste als je er van houdt om op het platteland tussen paarden, koeien, schapen en kippen te wonen. Sara weet dat ze dankbaar moet zijn. Want het is geweldig om dicht bij de academie te kunnen wonen.

Ze hoopt dat zij en Chrissy vriendinnen worden. Dan zal zich minder eenzaam voelen.

'We hebben nog niet gegeten,' deelt Martin mee. 'Zal ik de tafel dekken?'

'Is goed.' Sara loopt door naar de kamer en ploft op de bank.

Sara weet dat zou moeten helpen met tafeldekken. Zo hebben haar ouders haar opgevoed. Ze kan het niet opbrengen. Sinds ze weet dat Esther en Martin weinig vertrouwen in haar keuze hebben, heeft ze geen zin om 'sociaal gedrag' te vertonen.

Denken ze echt dat er geen droog brood met dansen is te verdienen?

Dansen zal ze nooit opgeven!

'n Fijne dag gehad?' vraagt Esther wanneer ze aan tafel zitten.

'Ja!'

'Hebben jullie al een dans geleerd?'

'Dat gaat niet zo snel.'

'Is het moeilijk wat je moet doen?'

'Je bouwt het op. Eerst begin je met leren van bepaalde pasjes op muziek.'

'Spierpijn?' vraagt Martin.

'Ze danst haar hele leven al,' antwoordt Esther lachend.

'Dat zal dus wel meevallen. Komt er binnenkort ook een voorstelling?'

'Weet ik niet.'

'Lijkt me geweldig.'

Sara werpt een uitdagende blik in Esthers richting. 'Waarom?'

'Omdat ik dansen leuk vindt,' mompelt Esther verbaasd.

Sara slikt een Spottende opmerking in. Ze moeten ophouden met het stellen van die stomme vragen! Nog even en ze ontploft.

Esther neemt een slokje melk. 'Zou je het erg vinden als je van de academie af moet?'

'Jullie niet, hè?' snauwt Sara.

Martin legt met een klap zijn mes en vork neer.

Drie seconden is het doodstil.

'Waarom zeg je dat?' vraagt hij.

'Omdat ik wel weet dat jullie het dansen maar niks vinden.'

Esther staart haar verbluft aan. 'Wat een onzin.'

Sara kookt inwendig van woede. Moet je ze zien met die uitgestreken gezichten! Alsof ze het nu opeens geweldig vinden dat Sara danst.

'Als je danst heb je toch geen toekomst?' daagt ze hen uit.

'Wie zegt dat.'

Sara kijkt naar tante Esther. 'Ik. Met dansen kun je geen droog brood verdienen.'

Esther fronst haar voorhoofd. 'Wat bedoel je?'

'Dat heb jij zelf gezegd.'

'Dat heb ik niet gezegd!'

'Je telefoneerde met iemand.'

Esther schudt haar hoofd en begrijpt niet wat Sara bedoeld.

'Laat ook maar,' zucht Sara. Ze heeft geen zin in ruzie. Dat kost alleen maar energie.

'Esther en ik krijgen de indruk dat je het niet naar je zin hebt bij ons.'

Sara schokt met haar schouders.

'We doen ons best,' zegt Eshter zachtjes.

'We hebben het gevoel dat we in jouw ogen weinig dingen goed doen,' voegt Martin er aan toe.

'Wat ik zei,' Sara wrijft met een vinger over het tafelblad.

'Wij nemen jou niet serieus?'

'Wat het dansen betreft.'

'Dat doen we wel,' beweert Martin.

'Van dansen kun je niet bestaan.' Sara kijkt in Esthers richting. 'Dat heb je gezegd.'

'Ik kan me niet herinneren dat ik zoiets gezegd heb.'

Sara klemt haar kaken op elkaar. Dat volwassen voor het gemak bepaalde dingen vergeten, vindt ze irritant. En dat is dan nog zwak uitgedrukt.

'We zullen je steunen, waar we kunnen,' belooft Esther haar.

'Dat zou fijn zijn.'

'We willen graag dat je gelukkig wordt.'

'Hoe kan dat nou?' fluistert ze met trillende stem. 'Gelukkig worden zonder pap en mam?'

Esther slikt. 'Proberen?'

'Dat doe ik ook…' Wanneer Sara die woorden uitspreekt is al haar boosheid als sneeuw voor de zon verdwenen.

Esther staat op en geeft Sara spontaan een kus op de wang.

'We weten dat het moeilijk voor je is. Er is veel gebeurd.'

Stilte.

'Je komt er wel,' verzekert Martin haar.

Sara kan met moeite haar tranen bedwingen. Ze knikt.

'Jouw ouders zijn trots op je.'

'Dat zeggen oma en opa ook,' mompelt Sara.
'Ik weet het wel zeker,' benadrukt Esther geëmotioneerd.
'Ik zou het zo graag van pap en mam zélf horen.'

19

Bitch!

Verbaasd kijkt Sara naar het lege fietsenhok. Er is nog niemand! Ze is vijfentwintig minuten te vroeg! Haastig draait ze zich om en verdwijnt over de binnenplaats door de poort naar buiten. Ze kan beter Chrissy tegemoet fietsen in plaats van hier in haar eentje wachten.

Gisteren heeft ze lang getwijfeld of ze Chrissy wel of niet zou bellen over de ontdekking, die bij nader inzien misschien niet zo bijzonder is als ze zou willen.

Ze heeft het niet gedaan. Straks zal ze dat doen. Chrissy wil natuurlijk naar de oude boom om te kijken. Als het meezit, kunnen ze misschien de rest van de middag samen doorbrengen. Op de woonboerderij in Hevelem is het zo saai.

Hoewel ze Chrissy nog niet echt kent, zou het leuk zijn om vriendinnen te worden. Ze weet dat ze moet oppassen om niet opdringerig over te komen, want dan haakt Chrissy af.

Ze zou het mobiele nummer of e-mailadres van haar moeten hebben. Dan is het makkelijker om contact te hebben en iets af te spreken.

Ze denkt aan het bijzondere gesprek, gisteren aan tafel, met Esther en Martin. Het leek alsof de muur die tussen hen stond, spontaan instortte.

Toch is er nu weer twijfel; zijn ze wel eerlijk?

Zijn ze werkelijk enthousiast over haar dansen?

Of doen ze alsof?

Sara fietst tot het stadscentrum.

Ze weet van welke kant Chrissy komt.

Verderop staat een meisje in een oranje jas. Sara neemt haar nieuwsgierig op. Het meisje is van dezelfde leeftijd als zij.

Zou ze op iemand wachten?

Vanuit de verte nadert een meisje met lange blonde haren.

Dat is Chrissy!

Sara fietst haar tegemoet.

Het meisje met de oranje jas kijkt Sara fronsend na.

'Ik was veel te vroeg,' legt Sara uit. 'Ik weet nog niet precies hoeveel tijd het kost om naar de academie te fietsen.'

Chrissy reageert allesbehalve enthousiast. Ze vraagt zich af of Sara er een gewoonte van wil maken haar elke ochtend op te halen. Ze knijpt haar ogen samen tot smalle spleetjes. Ziet ze dat goed? Staat Marjolein verderop? Wil ze haar excuus aanbieden?

'Ik heb gisteren iets raars gezien...,' begint Sara.

Chrissy luistert niet.

Wat doet Marjolein daar?

'Vanmiddag na school kan ik het laten zien. .' Sara onderbreekt zichzelf en kijkt opzij. 'Ik praat tegen je.'

'Ja, ik...' Chrissy remt af.

'Wat is er?' vraagt Sara.

Chrissy is nu dichtbij het meisjes in de oranje jas. Het is Marjolein.

Ze groeten elkaar.

'Kunnen we praten?' vraagt Marjolein aan Chrissy.

'Is goed.'

De meisjes vinden het moeilijk om elkaar aan te kijken.

Sara begrijpt er niets van en stapt ook af.

'Ik zie je straks,' zegt Chrissy.

'O.' Sara stapt geïrriteerd op haar fiets. Ze wordt gewoon weggestuurd! Dit meisje is opeens belangrijker.

Chrissy en Marjolein staan een paar tellen zwijgend tegenover elkaar.

'Wie is dat?' vraagt Marjolein.

'Sara.'

'Zij danst ook?'

'Ze is goed.'

'Woont ze in Roosburch?'

'Nee.'

De spanning neemt toe.

'Heb je Fedor gesproken?'

'Hij zit toch bij jou in de klas?'

'Ik vroeg of jij hem hebt gesproken.'

'Denk je nog steeds dat ik hem versierd heb?'

'Hij was niet op school.'

'En?'

'Ik kon het hem niet vragen.'

Chrissy windt zich steeds meer op. 'Ik heb niets met Fedor. Dat weet je best. Het ging erom dat jij hem beter zou leren kennen en daar heb ik mijn best voor gedaan. Door stom toeval kwam ik hem tegen en... Wat is het probleem?' Waarom zeg je niets?'

'Ik kan me voorstellen dat het heel makkelijk is om indruk op hem te maken.'

'Ik ben niet verliefd! Ik wil geen indruk op hem maken! Dat weet je! Wat moet ik doen om je dat te laten geloven?'

Marjolein haalt haar schouder op. Haar probleem is heel eenvoudig te benoemen; Chrissy ziet er leuker uit dan haar. Dat ziet Fedor ook.

'Nou?'

'Weet ik veel.'

'Je kunt mij vertrouwen. Er is helemaal geen reden om jaloers te zijn!'

Marjolein opent haar mond om iets te zeggen, maar bedenkt zich.

'Je vertrouwt me niet,' constateert Chrissy gelaten. Ze schudt het losse haar naar achteren en maakt aanstalten weg te gaan.

'Begrijp je het niet?'

'Er valt niets te begrijpen.'

'Ik ben echt verliefd op hem.'

'Dus?'

'Blijf uit zijn buurt.'

'Dat noemt zich een vriendin?'

'Als het aan mij ligt, blijven we dat.'

'No way! Niet op deze manier.'

Marjolein vloekt binnensmonds. 'Doe niet zo arrogant. Fedor is belangrijk voor me.'

'Ik hoop voor je dat dat andersom ook het geval is.'

'Waarom niet?!' snuift Marjolein verontwaardigd.

'Waarom wel?'

'Blijf uit zijn buurt! Dat is het enige dat ik vraag.'

'Ik bepaal zelf wel wat ik doe!' Staande op haar trappers fietst Chrissy weg.

'Chrissy! Het spijt me!'

'Bekijk het!'

Wat een gezeur om een jongen die niet eens weet dat Marjolein verliefd op hem is.

Chrissy is teleurgesteld. Marjolein is stinkend jaloers, terwijl er geen enkel reden toe is.

'Jaloers kreng,' mompelt Chrissy, terwijl ze een brok in haar keel wegslikt.

'Sara!' brult Chrissy over straat. 'SARA!'

Sara hoort haar wel, maar reageert niet.

Chrissy slaagt er in om haar in te halen. 'Sorry,' hijgt ze.

Sara fietst zwijgend door, haar blik op oneindig.

'Hallo! Hoor je me niet.'

'Zei je iets?'

'Doe niet zo flauw,' zucht Chrissy geërgerd.

'Ik was iets aan het vertellen.'

'Ja, weet ik. Maar Marjolein stond op me te wachten.'

'Dan nog.'

'Ik dacht dat ze het goed wilde maken.'

'Ruzie?'

'Ze is mijn vriendin.'

'Alles uitgepraat?'

'Nee. Ze is jaloers.'

Sara laat haar vijandige houding varen. Ze is blij dat Chrissy haar in vertrouwen neemt. 'Waar gaat het over?'

'Ze denkt dat ik een jongen wil versieren waar zij verliefd op is.'

Sara grinnikt. 'Daar kan ik me iets bij voorstellen. Je bent knap.'

Chrissy negeert de opmerking over haar uiterlijk. 'Ik ben niet verliefd en dat wil ik ook niet worden.'

'Ze zeggen dat zoiets zomaar kan gebeuren. Of je het wilt of niet.'

'Ik niet. Ik wil dansen.'

'Ik ook.'

Ze schieten in de lach.

Chrissy legt uit dat de ruzie op een misverstand berust. Omdat Marjolein door die verliefdheid op een grote roze wolk zit, kan ze niet meer helder nadenken. 'Dat ze mij - haar vriendin die ze al zo lang kent - niet vertrouwt, vind ik heel erg!'

'Einde vriendschap?'

'Weet ik niet.'

'Je kunt niets doen om haar gerust te stellen. Jaloezie wint altijd.'

Chrissy weet dat Sara gelijk heeft en knikt instemmend.

Nu ze weet dat Sara geen ouders meer heeft, kijkt ze met andere ogen naar haar. Sara heeft zelf ondervonden dat alles in één keer anders kan zijn.

'Sorry, het was lullig dat ik je net liet barsten,' zegt Chrissy nog eens.

'Je hoopte dat de ruzie bijgelegd zou worden.'

Chrissy knikt. 'We zijn echt al heel lang vriendinnen!'

Ze fietsen door de poort de binnenplaats op.

Het is druk met studenten die vanaf het station of de bushalte komen.

Groep 1D begint weer met dansen!

In de kleedkamer herinnert Chrissy zich dat Sara iets raars meegemaakt had. 'Je zou mij iets vertellen...'

'Later,' antwoordt Sara mompelend en maakt een gebaar naar de anderen. 'Die hoeven niets te weten.'

De ruzie met Marjolein blijft Chrissy dwars zitten.

'Je kunt haar een brief schrijven,' adviseert Sara.

'Alles nog eens uitleggen?'

'Dat verandert haar gevoelens misschien niet, wel die van jou. Het lucht op.'

'Ik wil dat ze weet dat ik te vertrouwen ben.'

Sara grinnikt zacht. 'Vergeet dat maar! Na schooltijd zal ik je mijn bijzondere ontdekking laten zien.

'Heeft het met onze mysterieuze Barbel Schmidt te maken?'

'Ja!'

'Vertel het nu maar.'

Uit de danszaal klinkt muziek.

'Eerst dansen!' Sara geeft haar plagend een duw.

'Krijgen we les van Barbel?' vraagt Elmy.

'Nee. Van Lars!' weet Quinty te melden.

'Knappe man!' roept Denise. 'Mannen met een bruine huidskleur vind ik altijd mooi.'

Vera schiet in de lach. 'Hij is al getrouwd.'

'Hoe weet je dat?' wil Amarins weten.

Ze krijgt geen antwoord. Vera is de danszaal binnengestapt.

'Vanmiddag neem ik je mee naar een oude boom,' vertelt Sara geheimzinnig.

Chrissy's nieuwsgierigheid is nu helemaal gewekt.

Wanneer de dertien van klas 1D in een kring staan, is de fijne sfeer binnen de groep voelbaar.

Lars vraagt wie er thuis geoefend heeft.

Iedereen!

'De Flatback!' roept Quinty enthousiast.

Lars buigt voorover met een kaarsrechte rug. De jonge dansers applaudisseren.

'Na de warming up wil ik van iedereen de Flatback zien.'

'Je kunt er bij mij geen kopje thee opzetten!' waarschuwt Coen.

'Bij mij een heel servies,' bluft Rachid.

Aan alles is te merken dat iedereen gemotiveerd is.

De warming up is deze keer anders dan de vorige keer.

Lars helpt hen er steeds opnieuw aan herinneren dat ze op hun houding moeten letten. 'Juist wanneer je oefeningen doet!'

Na de warming up laten ze het begin van de ingestudeerde dans zien. Dat gaat helemaal mis. Vooral wanneer de één naar links uitstapt en de ander naar rechts.

'Jullie zien dus hoe belangrijk het is om heel veel te oefenen. Het is niet alleen dat je de danspassen uit je hoofd moet kennen, jullie lichaam moet het zich door veel oefenen ook herinneren. Zodat het een natuurlijk iets wordt. Vandaag gaan we de Scoop leren!' vertelt Lars. 'Het is een pasje tussendoor dat je vaak na een Flatback maakt. Waarschijnlijk hebben jullie het wel eerder gedaan. Kijk goed. Ik doe het een paar maal achter elkaar voor.'

Aandachtig volgen dertien paar ogen de manier waarop Lars de Scoop maakt. Iedereen kent dit pasje. Lars staat in een Flatback, gaat iets met zijn hoofd naar beneden en richt zich daarna met een golfbeweging van zijn bovenlichaam op. Het 'tafel effect' is dan helemaal weg. Hij doet het perfect.

De les gaat te snel voorbij. Na een snelle douche nemen de leerlingen van klas 1D plaats in het biologie lokaal.

In de middagpauze vraagt Chrissy of Sara over haar ontdekking wil vertellen.

'Ik wil weten of jij hetzelfde denkt als ik. Je moet het ontdekken.'

Barbel Schmidt loopt de kantine binnen. Ze wordt voortdurend aangesproken door
studenten en collega's.

Sara ziet dat de docent waar Barbel mee praat naar vrouw wijst die bij de administratie werkt. Als Barbel er onmiddellijk naar toe gaat, is Sara's interesse gewekt.

'Ik ga er naar toe,' mompelt Sara opgewonden.

Onopvallend probeert ze in de buurt van de twee vrouwen te komen. Chrissy wacht gespannen af.

Vijf minuten later komt Sara met opgestoken duim terug. 'Ze heeft weer naar de kostuumafdeling gevraagd. De vrouw van de administratie doet het beheer. Er is een afspraak gemaakt; vanmiddag om half drie. Dan mag Barbel naar de kostuumzolder.'

'Waarom wil ze die kostuums graag zien?' peinst Chrissy. 'Er is moet een reden zijn. Ze vraagt het niet zomaar uit belangstelling.'

Sara glimlacht. 'Volgens mij draai je een beetje door.'

'Wedden van niet?'

20

Achtervolging

De laatste les voor vandaag zit er weer op. Chrissy en Sara stappen het lokaal uit.

'Vertel je het nu?' smeekt Chrissy.

'Straks,' belooft Sara.

'Daar heb je haar...'

Sara heeft meteen door wie ze bedoelt. 'De dame van kostuumbeheer.'

'He!' verrast kijkt Sara naar Barbel die uit tegenovergestelde richting nadert.

De twee vrouwen groeten elkaar.

'Ze hebben een afspraak,' mompelt Sara.

De vrouw van de administratie moet nog wat regelen. Barbel knikt. Ze zet haar tas op een brede rand en wacht.

'Ik denk dat ze naar de kostuumzolder gaan,' vertelt Sara. 'Ik zou wel mee willen.'

'Vraag het!' antwoordt Chrissy nuchter.

'Niet iedereen mag naar die zolder toe.'

'Wat weet jij daar nou van?! Er hangen kostuums. Dat is toch leuk om te kijken? Vraag het.'

Sara schudt haar hoofd nadrukkelijk. 'Dan gaat het niet lukken. Ze maken voor Barbel Schmidt een uitzondering omdat ze beroemd is.'

Chrissy haalt haar schouders op.

Sara wil deze kans niet laten schieten omdat ze er van overtuigd is dat Barbel de kostuumafdeling met een bepaalde reden wil zien. Haar hersens werken koortsachtig.

Ze weet niet zeker of ze zo meteen naar de kostuumzolder gaan. Als ze vraagt of ze mee mag, is de kans groot dat ze haar afpoeieren.

Het tweetal stelt zich verdekt op in een grote nis. Vanaf die plek kunnen ze Barbel in de gaten houden.

Chrissy giechelt. 'Wonderlijke toestand. Alsof we een crimineel op het spoor zijn, terwijl er niets aan de hand is.'

Sara kijkt haar met gespeelde verontwaardiging aan. 'Niets?'

'Het gaat er om dat jij nieuwsgierig bent.'

'Jij niet, dan?'

'Nog erger dan jij,' grijnst Chrissy.

'Misschien kunnen we ze achtervolgen.'

'Dat lijkt me niet slim.'

'Ik wil weten of mijn gevoel gelijk heeft. Zou het een grote zolder zijn? We kunnen naar boven sluipen.'

Chrissy maakt een gebaar om zich heen. 'Die zolder is groter dan vijf balzalen.'

'Voor de kostuums hebben ze waarschijnlijk een aparte ruimte. Let op...,' fluistert Sara.

De meisjes kijken naar de twee vrouwen die naast elkaar een gang in lopen.

De vrouw van de administratie heeft een kleine sleutelbos in haar hand.

'Dat kan niet missen. Ze gaan naar de kostuumzolder.'

De meisjes wachten op veilige afstand.

De vrouw draait een blauwe deur van het slot en maakt dan een uitnodigend gebaar naar Barbel Schmidt.

'Wat doen we?' Sara kijkt Chrissy gespannen aan. 'Achter-volgen?'

'Ik weet niet of het slim is...'

'Doe niet zo braaf.'

'Jij hebt al kennis gemaakt met directeur van Oorschot.'

Sara klemt haar kaken op elkaar.

'Ik wil geen problemen.'

'Dat wil niemand.' Sara slaakt een zucht terwijl ze haar ogen op de blauwe deur gericht houdt. Ze vindt het moeilijk om deze kans te laten schieten. Aarzelend loopt ze naar de deur en legt haar hand op de kruk.

'Wat doe je?'

'Wat denk je?' Sara duwt de deurkruk naar beneden.

'Niet op slot,' constateert Chrissy.

Sara steekt haar hoofd om het hoekje van de deur. Aan het eind van een smalle gang ziet ze een trap. Boven haar hoofd klinken voetstappen op de houten vloer. Ze luistert aandachtig. 'Ik wil het weten.' Ze glipt door de smalle opening naar binnen.

'En ik dan?' piept Chrissy.

Sara wenkt. Chrissy kijkt snel naar links en rechts. Dan stapt ze over de drempel en laat de deur op een kier staan. Behoedzaam sluipen ze op hun tenen de trap op. In de verte klinken zachte stemmen. Wanneer ze bijna boven zijn, gluren ze over het randje van het trapgat.

De zolder is opgedeeld in verschillende ruimtes.

De kostuumafdeling is aan de linkerkant. De deur van die ruimte staat half open.

'Doen?' gebaart Sara.

Chrissy vindt het griezelig. Straks worden ze ontdekt. Ze moet er niet aan denken dat ze door deze actie van de academie gestuurd wordt.

In het midden van de zolder staan een paar grote kasten. Mocht het nodig zijn, dan kunnen ze zich daarachter verstoppen.

Chrissy volgt met bonkend hart.

Sara gaat achter een schuine balk staan. Vanaf die plek kan ze door de geopende deur naar binnen kijken. Chrissy hurkt naast haar.

De twee vrouwen praten in het Duits met elkaar.

Barbel reageert enthousiast en is onder de indruk van de prachtige jurken.

'Waar zijn de kostuums die de Nederlandse Opera aan jullie geschonken heeft?' vraagt Barbel na enige tijd.

De vrouw loopt naar de andere kant en schuift een kastdeur open.

Er volgen een heleboel 'oh's' en 'ah's'.

Een telefoon rinkelt.

'Sorry,' verontschuldigt de vrouw van de administratie zich. 'Dit is een belangrijk gesprek.'

'Geeft niets,' glimlacht Barbel. 'Ik vermaak mij wel.'

Chrissy en Sara maken zich zo klein mogelijk. Gelukkig loopt de vrouw naar de andere kant van de kostuumafdeling om het gesprek te voeren.

Barbel Schmidt blijft alleen achter bij de operakostuums.

Sara kruipt op handen en voeten naar de deuropening en slaat Barbel verbaasd gade.

Chrissy gaat naast haar zitten. Haar mond zakt open als ze Barbel op haar knieën voor de grote kast ziet zitten. Gejaagd pakt ze één voor één een jurk aan de onderkant vast en trekt die haastig naar zich toe. Met één hand betast ze de randen van de verschillende jurken.

Wat doet ze?!

Sara kijkt haar aan met een gezicht van: zie je wel!

Er klopt iets niet.

Als Barbel hoort dat de andere vrouw haar telefoongesprek beëindigd, richt ze zich snel op en zegt dat het prachtige kostuums zijn.

'We moeten weg,' fluistert Chrissy. 'Voordat zij naar beneden gaan.'

Sara blijft liever op zolder. Ze schudt haar hoofd.
'Blijven?'
'Ja.' Ze kijkt rond en vraagt zich af of er een mogelijkheid is om na het vertrek van deze vrouwen van de zolder af te komen? 'We laten ons insluiten.'

21

Stuntvrouwen

'Insluiten?' Chrissy spert haar ogen wijd open. 'Dat wil ik niet.'

'Geen paniek!' Sara wijst naar rechts. 'Er zitten ramen in het dak.'

'Ik heb hoogtevrees.'

Sara drukt waarschuwend een vinger tegen haar lippen. 'Ze komen eraan.'

Barbel en de andere vrouw lopen in de richting van het trapgat.

'Blijf zitten.' Sara trekt haar geschrokken terug, wanneer ze merkt dat Chrissy naar het trapgat wil sluipen, voordat de vrouwen daar zijn. 'Je verraadt ons.'

Er is voldoende ruimte tussen twee de kasten om naar de achterkant te kruipen.

'Bang?' vraagt Sara bijna geluidloos.

'Leuk is het niet. Wat moeten we doen als we hier niet meer weg kunnen? Ze doet de deur straks op slot.'

'Paniekzaaier.' Sara houdt haar telefoon voor Chrissy's gezicht. 'Als het nodig is, bellen we om hulp.'

'De brandweer?' mompelt ze sarcastisch. 'Dat weet iedereen dat we hier zitten.'

'Zover is het nog niet.'

Het geluid van de stemmen komt dichterbij.

Sara slaat een kruisje als de dames voor de kast stil blijven staan waarachter de meisjes verstopt zitten.

'Ich komme gerne noch einmal...,' horen ze Barbel zeggen. 'Tussen de kostuums moet die ene jurk zitten die ik vroeger gedragen heb tijdens een reeks voorstelling in het buitenland.'

Ze lopen door naar de anderen kant van de zolder.

Chrissy wijst naar de trap. 'Doen?'

'Nee. Als ze zich omdraaien zien ze ons meteen.'

'Als ze zich niet omdraaien, zijn we beneden.'

Sara wil die gok niet nemen.

Er zit niets anders op dan af te wachten.

Sara gluurt om de hoek van de kast. Net op tijd trekt ze haar hoofd terug. De dames komen onverwachts terug.

'Sukkel,' sist Chrissy. Ze draait het lange haar in een wrong en stopt het onder haar shirt.

'Ze hebben me niet gezien.'

Een halve minuut later loopt de vrouw van de administratie langs de kasten om de deur van de kostuumafdeling dicht te doen. Barbel wacht bij de zoldertrap. Druk pratend verdwijnt het tweetal even later naar beneden.

Als het licht uitgaat, blijven de meisjes achter in een schemerige ruimte. Door kleine raampjes, verspreid over de grote zolder, valt spaarzaam daglicht naar binnen.

Chrissy en Sara wachten op het moment dat de sleutel beneden in het slot rondgedraaid wordt.

'Daar zitten we dan,' mompelt Chrissy gelaten.

Sara wijst naar de kostuumafdeling. 'Die deur zit niet op slot.'

Chrissy staart in gedachten voor zich uit. 'Volgens mij doet ze niet verdacht.'

'Niet?'

'Je hebt toch gehoord wat ze zei? Ze is op zoek naar een jurk die ze vroeger droeg. Ze vindt het leuk om die nog eens te zien.'

'De jurken in die kast, zijn geen dansjurken! Daarvoor zijn ze te zwaar.'

'Wie zegt dat ze die jurken bedoelde?'

'Waarom voelde ze aan die jurken toen die andere vrouw niet keek?'

'Weet ik niet.'

'Ze zoekt iets.'

'Aan de onderkant van de jurk?'

'Dat zag je toch?'

'Misschien voelde ze aan de stof,' oppert Chrissy.

'Geloof je het zelf?'

'Wat kun je onderaan een jurk vinden? Niets toch?!'

Sara haalt haar schouders op. 'Er is iets. Ik weet het zeker.'

Chrissy schuifelt over het midden van de zolder naar het raam en gruwt van de kleverige spinnenwebdraden die aan haar gezicht plakken. Ze gaat op haar tenen staan om door het stoffige raam naar buiten te kijken. 'Bel de brandweer maar.'

'Stel je niet aan. We gaan naar de kostuums.'

'Ik wil eerst weten hoe we hier weg kunnen.'

Sara gaat op zoek en ontdekt al snel een raam aan de kant waar de kasten staan.

'He, waar ben je?' fluistert Chrissy paniekerig.

'Andere kant.'

Er klinkt een harde klap.

'Sara?'

'Ik liep tegen iets aan,' giechelt Sara zenuwachtig.

Op sommige plaatsen is geen hand voor ogen te zien.

Chrissy probeert zonder geluid te maken bij haar in de buurt te komen.

Tot grote opluchting van de meisjes kunnen ze zich via dat raam twee meter naar beneden laten zakken. Dan komen ze op een plat dak dat tussen twee hoge daken door loopt naar de achterzijde van het gebouw.

Sara herinnert zich dat er aan die zijde van het gebouw een brandtrap gezien heeft.

'We zijn gered!' lacht Chrissy.

'Dan gaan we nu naar de kostuumafdeling.'

Hoewel ze niemand op de zolder verwachten, blijven ze voorzichtig wanneer ze de enorme kastdeur openschuiven.

'Muffe lucht,' constateert Sara.

Samen inspecteren ze de kast en voelen aan de onderkant van jurken, maar ontdekken niets bijzonders.

Sara vertelt eindelijk over de ontdekking die ze gisteren deed.

'Barbera Ballerina,' herhaalt Chrissy opgewonden. 'Zie je wel! Het klopt. Denk jij dat ze het vroeger zelf in de boom heeft gekerfd?'

'Het is niet logisch. Ze komt uit Duitsland.'

'Je weet dat ik haar Nederlands hoorde spreken.'

'Dat heb je verteld.'

'Van Barbera Ballerina, kun je Barbel maken. Het zou dus haar naam kunnen zijn.'

'Misschien logeerde ze vroeger als kind in Roosburch bij Nederlandse familie.'

'Dat verklaart dat ze Nederlands kan spreken.' Chrissy denkt na. 'Het zou ook kunnen dat ze officieel Barbera heet.'

'Dat is uit te zoeken.'

'Hoe?'

'Gewoon vragen.'

'Als ze wat te verbergen heeft, zal ze geen eerlijk antwoordt geven,' meent Chrissy.

'Je moet minder detectives lezen.'

Giechelend klimmen ze uit het raam en zakken langs een

gemetselde schoorsteen naar beneden totdat hun voeten het platte dak raken.

Sara gaat als laatste. Het raampje laat ze op een kier staan. Voor het geval ze later nog eens naar de zolder terug willen.

Niemand kan hen tussen de daken zien.

Voordat ze via de ijzeren brandtrap naar beneden gaan, genieten ze van het prachtige uitzicht.

Eenmaal terug op de begane grond, houdt Chrissy haar hand omhoog. 'Niemand heeft ons gezien!'

Ze geven elkaar een high five.

'Als we ooit van de dansacademie afgestuurd worden, kunnen we altijd nog als stuntvrouw bij de film!' grijnst Chrissy.

22

Beroemd

12 jaar geleden.

'Je bent dé ontdekking.' Glunderend neemt de vader plaats in de grote stoel bij het raam.

Dat is zijn fauteuil!

'Dat zegt niets,' antwoordt ze.

'Dat zegt alles. Ik zie de krantenkoppen al voor me!'

De moeder die achter haar staat, legt haar hand vluchtig op haar schouder. 'Het moet nog tot je doordringen.'

'Dat is het niet.'

De vader legt beide armen op de leuningen van zijn stoel en kijkt vol trots omhoog. 'Bescheidenheid is goed. Je bent zeer talentvol! Dat moet je voor ogen houden. Het boeit mensen, omdat je nog zo jong bent. Daardoor ontstaat er betrokkenheid bij het publiek en daar moet je gebruik van maken.'

Haar hoofd zakt langzaam naar beneden.

'Je wordt een ster!' voegt hij er lachend aan toe.

'Denk aan je houding.' Plagend legt de moeder een vinger onder haar kin om haar hoofd iets omhoog te drukken. 'Je leert vanzelf met publiciteit omgaan. Het is ontzettend belangrijk dat je vanaf nu veel oefent '

'Doe ik toch?' reageert ze verontwaardigd.

'Dag in dag uit,' knikt de vader terwijl hij opgewonden met een hand door zijn grijzende haar woelt.

Ze perst haar lippen op elkaar. Er is veel wat ze wil zeggen. Maar woorden komen niet over haar lippen.

Ze wil naar haar kamer.

Na het optreden in het concertgebouw kwamen er journalisten

naar haar toe die ze te woord moest staan. Soms, wanneer ze aarzelde of te lang nadacht, gaf haar moeder een antwoord.

Haar ouders raakten niet uitgepraat over het succes.

Hun dochter van zestien mocht naar het buitenland!

Het was meteen duidelijk dat ze er alles aan zouden doen dat haar carrière succesvol zou blijven verlopen.

'Morgen bel ik iemand van de televisie,' beloofde haar vader. 'Nu is het te laat.'

'Dat hoeft niet, pa.'

'Aandacht van de media is van groot belang voor jouw zang-carrière.'

Hulpzoekend kijkt ze haar moeder aan.

'Hij heeft gelijk,' beaamt ze.

Wanneer ze alleen op haar kamer is, pakt ze het dagboek.

Ik zou blij moeten zijn. Ik ben het niet.

Mijn ouders leven mijn leven. Het is van mij afgepakt.

Mijn zang talent, is hun toekomst.

Ik ga iets bedenken om mijn leven terug te krijgen.

Ik kies niet voor dit succes.

Ik wil dansen en dat zal ik nooit opgeven.

Haar ogen vullen zich met tranen wanneer ze het dagboek verstopt.

Spotten en stunten

De laatste twee uren op de vrijdagmiddag brengt groep 1D in de danszaal door.

Barbel Schmidt is de rest van de dag niet meer op de academie gezien. Sara zou graag een gesprekje met haar willen aanknopen. Door het stellen van slimme vragen, hoopt ze te achterhalen of ze wel of geen familie in Nederland heeft. Ze vindt het belachelijk dat ze Duits blijft praten, terwijl ze Nederlands spreekt.

Vanmiddag maken ze kennis met de dansdocent die aan het begin van de week ziek was.

Chrissy en Sara hebben zich omgekleed en zitten naast elkaar op de bank.

'Dat gesprek met Barbel komt vanzelf,' hoopt Chrissy. 'Bij de administratie kunnen we vragen waar ze logeert.'

'Bij familie.'

'Of bij een docent van de academie,' oppert Chrissy. 'Weet jij nog dat ze in Roosburch liep. Ze zag iemand en schrok. Alsof ze bang was dat ze gezien werd.'

'Ze wil met rust gelaten worden of ze heeft iets te verbergen.'

'Ze is bekend in de danswereld, maar ik betwijfel of mensen in Roosburch ooit van haar gehoord hebben.'

'Misschien denkt ze dat er fotografen tussen de struiken liggen.'

'Alles is mogelijk,' zucht Chrissy.

'Ik word steeds nieuwsgieriger.'

'Zou ze vandaag les geven?'

'Ik heb haar niet gezien. Als we weten waar ze logeert,

kunnen we haar zogenaamd toevallig ontmoeten.'

Vera komt bij hen staan. 'Ik heb de Flatback honderd keer geoefend. Willen jullie kijken of mijn rug kaarsrecht is?'

'Honderd keer? Dat is te weinig. Oefen nog maar eens honderd keer,' antwoordt Sara giechelend.

Met elkaar stappen ze de danszaal binnen.

Chrissy begint over de zonnebril die Barbel Schmidt draagt wanneer ze buiten is. '

'Sommige mensen kunnen niet goed tegen daglicht,' antwoordt Sara.

Chrissy knabbelt peinzend op haar duimnagel. Dan schudt ze resoluut het hoofd. 'Ze wil niet herkend worden!'

Zwijgend lopen ze naar het midden van de oefenruimte waar de anderen in een kring bij elkaar zitten.

'Nog wat van Marjolein gehoord?' vraagt Sara opeens.

Chrissy verstrakt. 'Nee.'

'Over en uit?'

'Ik ben niet iemand die makkelijk opgeeft.'

'Als je haar vriendin wilt blijven, moet je zelf iets doen. Zij doet het niet,' voegt Sara er aan toe.

Chrissy knikt.

De jazzdocent is klein en heeft een vrolijk gezicht. Haar donkere haren heeft ze strak naar achteren gekamd en opgestoken met klemmetjes.

'Ik ben Leine Vermeer. Het spijt me dat ik er aan het begin van de week niet kon zijn. Gelukkig hebben we een beroemde gastdocent op de academie die mijn lessen kon waarnemen. Jullie mogen mij Leine noemen.'

Chrissy en Sara steken hun duim goedkeurend naar elkaar omhoog; de eerste indruk van deze dansdocent is goed.

Iedereen noemt weer zijn naam. Leine belooft dat ze na drie lessen alle namen kent.

Net als de andere docenten, maakt ook Leine duidelijk dat de lichaamshouding belangrijk is. Ook al doe je alleen maar oefeningen.

Na een pittige warming up, wil Leine zien wat ze ingestudeerd hebben tijdens de les van Barbel en start de muziek.

Na een paar minuten vraagt ze wie van hen het 'Spotten' geoefend heeft. 'Het valt me op dat jullie dat nauwelijks doen bij het draaien. Spotten is heel belangrijk.'

Iedereen knikt.

'Dat heb ik nooit geoefend,' geeft Sara toe.

Leine gaat voor de groep staan om het Spotten voor te doen. Ze zoekt een bepaald punt recht voor haar. 'Daar blijf ik zo lang mogelijk naar kijken, terwijl ik de draai van mijn lichaam inzet. Totdat ik op het punt komt, dat mijn hoofd mee moet draaien. Als dat gebeurd is, moet ik mijn ogen direct weer op dat punt richten. Dat kan een raam zijn, een haakje in de muur of wat dan ook. Het is heel belangrijk om je te focussen. Tijdens het dansen moet je vaak draaien. Denk vanaf het eerste moment aan het Spotten. Zoek een vast punt.'

Iedereen oefent voor de spiegelwand. Eerst zonder, later met muziek.

Leine loopt langs om aanwijzingen te geven.

'Dan is er nog iets!' zegt ze en steekt haar handen in de lucht. 'Wie bij mij danst, moet goede jazzhanden hebben. Je moet de handen zo strekken, dat ze als het ware wit worden.'

Er ontgaat Leine bijna niets. Ze is streng, maar weet op een leuke en positieve manier kritiek te geven, waardoor de les prettig verloopt.

Na afloopt vraagt Sara of ze kennis heeft gemaakt met Barbel Schmidt.

'Ja, zeker. Een geweldige vrouw. Ze kan goed coachen en als choreograaf zou ze het ver schoppen.'

'Komt ze uit Nederland?'

'Nee. Ze is Duits.'

'Waar logeert ze?'

Leine haalt haar schouders op. 'Een hotel, denk ik. Waarom wil je dat weten?'

'Ze is onze idool,' grapt Sara.

'Je kunt op internet een heleboel van haar bekijken. Ze heeft van alles gedaan. Dames, ik ga me omkleden. Ik heb een vergadering met mijn collega's.'

Chrissy en Sara verlaten als laatste de kleedkamer.

'Kunnen we dit weekend iets afspreken?' vraagt Sara aarzelend.

Chrissy schokschoudert en zegt heel eerlijk dat ze liever niets afspreekt. 'Dan zit ik er aan vast.'

Sara vindt het jammer, maar respecteert het antwoord.

Ze drinken in de kantine een warme beker chocolademelk. Chrissy trakteert.

In de gang komen ze Leine Vermeer tegen.

'Jullie idool is zojuist gearriveerd,' lacht ze. 'Toevallig hoorde ik dat ze straks naar de zolder gaat. Er is een tijdje geleden een bijzondere collectie bijgekomen. Volgens haar moet er een jurk bij zitten die ze vroeger tijdens een tournee in Duitsland en Oostenrijk droeg. Die jurk wil ze graag fotograferen. Jeugdsentiment! En, ze logeert in een pension ergens in Roosburch. Dat heb ik voor jullie nagevraagd,' voegt ze er met een knipoog aan toe. 'Geen idee welk pension. Dat moeten jullie haar zelf maar vragen. Ze is hier ergens in het gebouw.'

De meisjes staan een paar seconden sprakeloos tegenover elkaar.

'Denk jij wat ik denk?' fluistert Sara opgewonden.

'Gaan we stunten?'

24

Verdwijnen

18 jaar geleden.

'Het is mogelijk.'
De jonge vrouw kijkt hem aan en probeert de waarde van zijn woorden te achterhalen.
'Geloof je me niet?'
'Ik heb geen zekerheid dat het lukt.'
'Dat heeft niemand.'
Zenuwachtig staart ze langs hem heen.
Wind uit het zuiden ademt zacht langs haar gezicht.
'Doe het.'
'Ik vind het moeilijk.'
'Waar ben je bang voor?'
'De gevolgen...' *Ze maakt haar zin niet af.*
De man tegenover haar met opvallende blauwe ogen strijkt met een hand over zijn kaak. 'Wat kan je gebeuren?'
Haar schouders gaan aarzelend omhoog. 'Het is harteloos.'
'Harteloos?' *herhaalt hij met verbazing in zijn stem.* 'Weet je wat harteloos is?'
Ze draait haar hoofd.
'Geef eens een antwoord.' *Hij klinkt dwingend.*
'De gevolgen zijn zo groot.'
Hij klakt met zijn tong. 'Nu ook.'
Haar ogen zoeken die van hem. 'Ik weet niet of ik het kan.'
Hij laat een afkeurend gemompel horen. 'Je kunt het.'
'Voor altijd?'
Hij knikt bevestigend. 'Voor altijd.'
Ze opent haar mond. Woorden verdwijnen voordat ze uitge-

sproken zijn.

Geruststellend wrijft hij met een warme hand over haar schouder.

Doe wat je moet doen.'

'Ik weet het niet.'

'Ik wil je niet dwingen. Ik wil alleen het beste voor je.'

'Ik kan het niet terugdraaien.'

'Er is altijd een weg terug.'

Het is lang stil.

'Niemand zal het begrijpen,' zucht ze vermoeid.

'Jij wel. Daar gaat het om.'

Zijn hand glijdt van haar schouder.

Ze wendt haar ogen af.

'Mag ik je een advies geven?'

Ze glimlacht afwachtend.

'Wacht niet te lang. Maak een keuze.'

'Ik geef mezelf een uur bedenktijd.'

Ze draait zich om en loopt terug naar de kleine hotelkamer.

Minutenlang staat ze voor het raam en tuurt door de vitrage naar het leven beneden in de drukke straat van de Oostenrijkse hoofdstad.

Dan, opeens, draait ze zich om en pakt een schrijfblok uit haar koffer.

Ze heeft een besluit genomen.

25

Vreemde ontdekking

Chrissy en Sara wandelen over de oude binnenplaats in de richting van de fietsenstalling. Af en toe kijkt één van hen over de schouder.

'Niemand let op ons,' mompelt Sara.

'Waarom zouden ze,' grijnst Chrissy. 'Twee serieuze meisjes van de dansacademie!'

'Zien we er zo uit?'

'Dat weet ik wel zeker.'

Eerst brengen ze hun rugzak naar de fietsenstalling.

'Telefoon op trilstand?'

'Goed dat je het zegt.' Sara drukt een toets in.

Vanuit het fietsenhok lopen ze onopvallend achter hoge struiken langs de dansacademie naar de achterzijde.

'Zou ze er al zijn?'

'Ik hoop het niet,' mompelt Sara. 'Als Barbel in haar eentje mag rondneuzen, kunnen we misschien ontdekken wat ze precies zoekt.'

'Ik hoop dat wij eerder op zolder zijn dan zij is.'

'Dit wordt het uur van de waarheid,' fluistert Sara met overdreven gebaren.

'Ze mogen ons niet betrappen.'

'Dat gebeurt niet.' Sara schudt nadrukkelijk het hoofd. 'Er is geen mens die ons op het dak ziet. Daar hoef je niet bang voor te zijn.'

'Op de brandtrap kan iedereen ons zien,' beseft Chrissy. 'We moeten een paar etages langs de ramen omhoog!'

'Klopt. Die ramen zijn van het trappenhuis, denk ik. Er zijn niet veel mensen meer in het gebouw. Het weekend begint.'

'En de docenten hebben een bespreking. Dat zei Leine.'
Sara grijnst en slaat haar ogen op naar de bewolkte hemel.
'Dan maar hopen dat de goden ons gunstig gezind zijn.
Niet meteen van het ergste uitgaan. Meestal heb je geluk.'
Aan de achterkant van het gebouw is geen mens te bespeuren. Vanaf een afstand bekijken ze ramen waar de brandtrap langs gaat. Bij geen enkel raam is enig teken van leven te bespeuren.
Sara wil geen tijd meer verliezen. 'We doen het.'
Chrissy voelt haar hartslag versnellen bij elke stap die ze doet.
Halverwege blijft Chrissy staan en kijkt rond.
'Niet stoppen,' waarschuwt Sara. 'Gewoon doorlopen. Er is hier geen kip te bekennen.'
Chrissy voelt de spanning in haar maag toenemen.
Wat een bizarre situatie.
Zonder problemen staan ze even later op het platte dak.
'Als het zolderraam maar niet is dicht gewaaid,' mompelt Chrissy.
Sara steekt opgelucht haar duim op. 'Het is nog open.'
'Hoe komen we erachter of Barbel op zolder is?'
'Dat kunnen we vanaf hier niet zien.'
'Dus?'
'We zullen de gok moeten nemen en door het raam naar binnen klimmen.'
Sara klimt als eerste het schuine dak op. Ze draait het raampje verder open.
De scharnieren knarsen.
'Jij eerst?'
Chrissy knikt. Met zweet in haar handen kruipt ze op handen en voeten over bemoste dakpannen omhoog.
Sara ligt op haar buik naast het raam tegen het schuine dak.

Langzaam wurmt Chrissy zich door de smalle opening. Ze mag niet met een dreun op de vloer terechtkomen. Ze houdt ze zich vast aan de roestige rand en tuurt eerst over de schemerige zolder.

'Het licht brandt niet,' fluistert ze.

'Dan is ze er nog niet.'

Chrissy laat los en landt geruisloos op de houten vloer.

Sara klimt door het raampje.

Chrissy pakt haar benen vast en laat Sara langzaam naar beneden zakken.

'Super,' glundert Sara als inderdaad blijkt dat er nog niemand op de kostuumafdeling is.

Ze moeten opschieten.

Vlakbij de kast waar Barbel Schmidt tussen de prachtige jurken naar iets speciaals zocht, vinden ze een prima plek om zich te verstoppen.

Chrissy luistert met haar oor tegen de deur. Ze schudt het hoofd. 'Ik hoor geen voetstappen. Zal ik in de kast zoeken?'

'Is het niet te donker?'

'Als de deur open is, kan ik genoeg zien.'

Sara trekt een plechtig gezicht. 'Ik hou de wacht.'

Chrissy schuift de grote deur van de kostuumkast helemaal open en gaat tussen de jurken op de grond zitten.

Sara komt na een minuutje bij haar staan. 'Al iets gevonden?'

'Nee.'

'Wat doe je?'

'Net als Barbel; aan de onderkant van de jurken voelen. We moeten gisteren iets gemist hebben.'

'Wat voel je dan?'

'Een dikkere rand stof. Verder niks.

'Hoeveel heb je er gecontroleerd?'

'Drie.'

Sara slaat een hand voor haar gezicht. 'Er hangen er minstens veertig.'

'Ga jij maar naar de deur.'

Sara neemt haar post weer in.

Op de zoldertrap is het stil.

Na tien jurken voelt Chrissy iets vreemds en trekt de jurk naar zich toe.

Voelt ze dat goed?

Ze betast de brede zoom van een mooie lichtblauwe fluwelen jurk. Wanneer ze met haar vingers de stof van de zoom over elkaar wrijft, merkt ze dat er binnenin iets verschuift.

Wat kan dat zijn?

Het is flinterdun.

'Er komt iemand aan,' waarschuwt Sara.

Chrissy kruipt haastig uit de kast. 'Ik heb iets gevonden,' fluistert ze opgewonden.

'We moeten nu weg. Ze is vlakbij.'

Chrissy bedenkt zich geen seconde. Ze grist de lichtblauwe jurk van de stang en kruipt met de dubbelgevouwen jurk tegen zich aangedrukt naar de verstopplek.

Sara schuift de grote deur geruisloos dicht. Dan hurkt ze naast Chrissy. 'Wat hebt je ontdekt?'

'Iets.'

De sleutel wordt in het slot omgedraaid.

Chrissy drukt een hand tegen haar borst, om het angstige kloppen tegen te gaan.

Met ingehouden adem wachten de meisjes af.

De jurk ligt opgerold tussen Sara en Chrissy in.

Barbel is, zoals verwacht, alleen naar de zolder gekomen.

Chrissy leunt opzij zodat ze langs een schuine balk naar de grote kledingkast kan kijken.

Barbel zit op haar hurken en heeft een blauwe jurk aan de buitenkant van de kast gehangen. Met twee handen betast ze zorgvuldig de zoom.

Sara gebaart naar de jurk die bij hen op de grond ligt. 'Ze lijken op elkaar,' gebaart ze.

Chrissy knikt bevestigend.

Is Barbel op zoek naar de jurk die Chrissy uit de kast heeft gehaald?

Wat zou er in de zoom verborgen zitten?

Weet zij daar meer van?

Zit er een geheime sleutel of geld in?

Bankbiljetten?

Als dat zo is, moet het wel om veel geld gaan. Anders kom je toch niet uit Duitsland om dat op te halen?

Barbel hangt de jurk terug, doet een stap achterwaarts en inspecteert de kledingstukken opnieuw. Ze pakt de volgende jurk en hangt die, net als de vorige, aan de buitenkant van de kast. Aan haar houding is te zien dat het niet de gezochte jurk is, toch controleert ze voor de zekerheid de zoom.

Chrissy's wangen gloeien van spanning.

De deur beweegt door de tochtstroom zachtjes heen en weer.

Het is te hopen dat Barbel niet naar het dakraam gaat om het te sluiten. Dan zal ze de meisjes achter de kast ontdekken.

Sara kijkt om zich heen of er een mogelijkheid is om de jurk beter te kunnen verstoppen? Als ze betrapt worden, dan liever zonder jurk.

Er gaan tien minuten voorbij.

Chrissy en Sara hebben last van hun rug. Ze zitten in een vreemde houding kunnen zich nauwelijks bewegen.

Er naderen voetstappen.

Barbel wacht rustig af.

Het is de vrouw van de administratie.

'Gevonden?' vraagt ze vriendelijk.

'Nee,' antwoordt Barbel. 'Toch weet ik zeker dat de jurk bij deze collectie hoort.'

Het gesprek wordt in het Duits gevoerd. Chrissy en Sara kunnen het redelijk goed volgen.

Voor zover de vrouw weet, is de collectie in zijn geheel aan de academie geschonken.

Barbel knikt peinzend. 'De vorige keer dat ik hier was, meende ik dat mijn jurk er tussenhing. Had ik maar beter gekeken.'

'Er is niets uitgeleend.'

'Ik ben er negenennegentig procent zeker van dat ik die jurk vroeger heb gedragen.'

De vrouw van de administratie schudt peinzend het hoofd. 'Dan moet die hier nog zijn. Beschrijf hem eens.'

Chrissy en Sara krijgen het steeds warmer. De beschrijving komt overeen met de jurk die tussen hen in ligt.

Na vijf minuten kunnen ze eindelijk opgelucht adem halen; de dames verlaten de zolder.

Het licht gaat uit.

Ze hebben niet gemerkt dat er een dakraam op een kier stond.

Een gelukje!

Het tweetal blijft een paar minuten zitten, voordat ze achter de kast vandaan kruipen.

'Aah,' kreunt Chrissy. 'Ik ben zo stijf als een plank.'

'Wat nu?'

Chrissy houdt de zware jurk omhoog. 'Zoeken.'
Ze lopen naar een open plek waar daglicht door het raam
naar binnen valt en leggen de jurk op de grond.
Samen onderzoeken ze de brede zoom.
Sara voelt iets.
Chrissy gaat naast haar zitten en trekt de jurk naar zich toe.
'Kijk.' Ze wijst naar de draad waarmee de zoom is vast-
genaaid. 'Dit stukje is met de hand gedaan.'
'Er is een kleurverschil te zien bij het garen dat gebruikt is,'
merkt Sara op. 'Kun je de draad lospeuteren?'
'Jawel, maar dan kan ik het niet meer dichtnaaien.'
Sara haalt haar schouders op. 'Dat kan later wel.'
'Wil je weer naar de zolder terug om de zoom te maken?'
'Zal wel moeten.'
Chrissy pakt een kammetje uit haar broekzak en trekt daar-
mee het draad van de zoom los. Langzaam trekt ze de draad
uit de stof en wurmt een paar vingers in de zoom.
De spanning is te snijden als Chrissy een dubbelgevouwen
papier voorzichtig uit de zoom tevoorschijn haalt.
'Een brief!' ziet Sara meteen. 'Wie verstopt er een brief in
een zoom van een jurk?'
'Barbel.'
Aan de achterkant staat keurig in blokletters geschreven:

Voor de familie Beeckman te Roosburch.

Chrissy vouwt de brief open.

Lieve allemaal,

Ik kies voor mijzelf en verdwijn uit jullie leven.
Het is moeilijk uit te leggen.
Ga niet op zoek naar mij.
Laat mij voor altijd met rust.
Wees niet ongerust. Alles is goed.

Liefs, Barbera.

'Zou dit een afscheidsbrief zijn?' vraagt Chrissy zachtjes.
'Een afscheidbrief die nooit gevonden is,' mompelt Sara.

26

Niet doen!

Chrissy en Sara nemen om de beurt de brief in hun handen en laten de betekenis van de woorden op zich inwerken.

'Ik kies voor mijzelf en verdwijn uit jullie leven!' leest Chrissy hardop voor. 'Klinkt dramatisch.'

'Dat is het ook. Misschien begin ik het te begrijpen,' mompelt Sara.

'Leg maar uit.'

'De naam Barbera stond in de boom gekerfd! Barbera Ballerina. Dat is geen toeval. Het gaat om dezelfde persoon. Barbera Beeckman heeft afscheid genomen van haar familie.'

'Haar ouders?' vraagt Chrissy na een lange stilte.

'Dat zal wel.'

'Waarom heeft ze de brief in deze jurk verstopt?' Dat is niet logisch. Barbel Schmidt heet dus waarschijnlijk Barbera Beeckman.'

'Dat moet haar geheim zijn. Ze sprak Nederlands. Nog even en het mysterie is opgelost.'

Chrissy schudt haar hoofd. 'Daar ben ik niet zo zeker van. Barbel doet veel moeite om de jurk terug te vinden. Anderen mogen niet weten wat ze zoekt.'

'Ik ben niet nieuwsgierig. Ik wil alleen graag de waarheid weten.'

Chrissy glimlacht.

'Niemand mag weten wie ze is,' zegt Sara. 'We moeten geloven dat ze uit Duitsland komt en Barbel Schmidt heet.'

'Kun je voorgoed uit het leven van anderen verdwijnen?'

'Blijkbaar! Je neemt een andere naam, vertrekt naar het buitenland en spreekt geen Nederlands meer.'

'Wat is er met de afscheidsbrief gebeurd?'

'Ik weet het niet.'

Chrissy tilt de jurk met twee handen van de grond op. 'Dit is geen dansjurk.'

'Zoiets gebruiken ze bij klassieke opera's.'

'Sinds wanneer heb jij daar verstand van?' giechelt Chrissy.

'Een kwestie van gezond verstand. Wat doen we?'

'De jurk terughangen.'

Sara schudt afkeurend haar hoofd. 'We verstoppen hem achter een kast. Op één of andere manier is de brief belangrijk voor haar. Toen ze hier de eerste keer op zolder was, heeft ze de jurk zien hangen. Ze geeft het zoeken niet zo snel op.' Sara vouwt de brief dubbel en laat hem voorzichtig in haar jaszak glijden. 'Volgens mij is de brief dus nooit aangekomen bij de familie Beeckman.'

'Nee, niet als je de brief in de zoom laat zitten. Ik begrijp er niets van.'

Sara staat op. 'We gaan weg.'

'De brief mag je niet meenemen.'

Sara begrijpt dat Chrissy dat niet wil, maar weet haar te overtuigen.

De brief houdt ze bij haar en de jurk verstoppen ze op een donkere plek ergens op de zolder.

Op hun tenen lopen ze over de zolder naar het raam. Sara vindt een kistje. Dat legt ze omgekeerd onder het raampje, zodat ze makkelijker naar buiten kunnen klimmen.

Het raam laten ze op een kier staan.

Wanneer ze over het platte deel tussen de schuine daken lopen, gaat het zachtjes regenen.

'Dit is gevaarlijk,' grijnst Sara. 'Wanneer de grond modderig is, laten we voetsporen achter.'

'Dan trekken we onze schoenen uit en lopen op blote

voeten naar het fietsenhok.'

Chrissy vraagt even later of Sara zin heeft met haar mee naar huis te gaan.

'Wil je oefenen?'

Chrissy snuift verontwaardigd. 'Domme vraag. Natuurlijk wil ik oefenen. Elke dag! Vandaag wil ik eerst uitzoeken of de familie Beeckman nog in Roosburch woont.'

Het is half vijf geweest wanneer ze natgeregend op Chrissy's kamer met een warme beker chocolademelk achter de computer zitten.

Binnen een paar minuten hebben ze uitgevogeld dat er twee families in Roosburch wonen met de naam Beeckman.

'En, nu?' vraagt Sara, wanneer ze kleine slokjes van de chocolademelk drinkt.

'Nog meer informatie inwinnen!'

Sara noteert de adressen en de telefoonnummers. Ze overleggen welke stappen ze het beste kunnen nemen.

Een bezoek brengen aan de mensen of eerst bellen?

'Wat vragen we?' wil Chrissy weten.

'Of de naam Barbera Beeckman hun iets zegt.'

'Ik denk dat Barbel niet blij zal zijn met onze actie.'

'Vragen staat vrij,' vindt Sara.

'We moeten het tactvol aanpakken.'

'Googelen!' Sara trekt het toetsenbord naar zich toe en tikt de naam van Barbera Beeckman in. Ze reageert verwonderd wanneer ze de teksten op het scherm ziet verschijnen.

'Als Barbera Beeckman was ze ook bekend,' concludeert ze na het lezen van een paar onderwerpen.

Sara drukt op 'afbeeldingen'.

Het is even zoeken, maar dan vinden ze inderdaad foto's die jaren geleden van Barbera Beeckman zijn gemaakt.

'Dat is Barbel!' roept Chrissy opgewonden. 'Er is geen

twijfel mogelijk. Ik herken haar ogen en de vorm van het gezicht.

'Dat weten we dus; Barbel Schmidt heette ooit Barbera Beeckman.'

'Op haar zestiende won ze een belangrijke prijs,' ontdekt Chrissy.

Ingespannen turen ze naar het scherm als er een fragment uit een krantenartikel verschijnt.

'Huh?' Sara laat zich terugzakken tegen de leuning van haar stoel. 'Dit heeft niets met dansen te maken, maar met zingen!'

'Ik zie het.' Chrissy staart haar verbaasd aan.

'Opera!' Sara wijst naar de regel in de tekst waarin dat genoemd word. 'En dat voor iemand die nog zo jong is.'

'Kan toch? Dat verklaart waarom de brief in die opera-jurk zat. Er moet vroeger iets gebeurd zijn,' peinst Chrissy. 'Waarom schrijft ze anders zo'n brief?'

'Iedereen is wel eens kwaad op zijn ouders.'

'Oké, maar daarom verdwijn je toch niet uit hun leven?'

'Zullen we die twee families met een bezoekje vereren?'

Chrissy schudt haar hoofd.

'Heb jij een beter idee?'

Chrissy zwijgt.

Samen bekijken ze nog een aantal links.

Sara slaakt een zucht. 'Ik weet niet wat verstandig is.'

'Dit is een privé kwestie. Het gaat ons niets aan.'

'Dus?' Sara neemt haar afwachtend op.

'We geven de brief aan Barbel terug.'

'Teruggeven?!'

'Dat is volgens mij het beste wat we kunnen doen.'

27

Ontwikkelingen

Sara en Chrissy spreken af om eerst goed na te denken, voordat ze een beslissing nemen wat de brief betreft. Ze mogen niet vergeten dat het een nare gebeurtenis uit iemands leven moet zijn geweest.

'Als we de brief aan haar teruggeven kan er weinig fout gaan,' meent Sara.

'Ze zal vragen hoe we aan de brief zijn gekomen.'

'Dat kunnen we uitleggen.'

'Het is niet prettig voor haar als ze erachter komt dat wij de inhoud van de brief kennen. Het is privé.' 'Dan leggen we de brief gewoon in haar postvakje.'

'Als ze die heeft?'

'Whatever,' mompelt Sara. 'We zetten haar naam op de envelop. Dan komt het wel goed.'

'Wanneer wij anoniem blijven, zullen we nooit weten wat er precies is gebeurd.'

'Moeten wij dat dan weten?'

Het blijft een paar tellen stil.

'Twee nachtjes slapen. Zondag mail ik je,' belooft Sara.

Aan: Chrissy
Van: Sara

Hi Chrissy,
Ik heb nagedacht en denk ik dat het beter is om Barbel de brief te geven.
Ze hoeft niet te weten dat wij de brief gevonden hebben, want dan stelt ze vragen en moeten wij opbiechten dat we

via het dak naar de zolder zijn gegaan.
Morgen leggen we een envelop bij de balie met haar
naam erop of we proberen te achterhalen in welk pension
ze zit. Dan doen we de envelop door de brievenbus.
Zullen we nog afspreken? Nadat je geoefend hebt natuurlijk!
Groetjes van mij,
Saar.

Aan: Sara
Van: Chrissy

Mevrouw Saar.

Het is fijn om te lezen dat u tot inzicht bent gekomen en uw
nieuwsgierigheid onderdrukt.
Tot mijn grote vreugde constateer ik dat u een beetje ver-
standiger bent geworden :)
Ik ben het helemaal met je eens dat Barbel niet hoeft te
weten dat wij haar in de gaten hebben gehouden. De brief
hadden we niet mogen lezen. Ik stel voor dat je vanmiddag
naar mijn huis komt.
Natuurlijk ga ik oefenen. De eerste passen van de dans, tot
zover we die hebben ingestudeerd. Ik vind het moeilijk.
Oefenen dus (Ik ben een serieus en verstandig type! Je kunt
nog wat van me leren!). Daarna dumpen we de brief.

Chris.

Chrissy rijdt Sara tegemoet.
Onderweg komt ze Fedor tegen. Alsof de duivel er mee
speelt. Ze komt hem zelden tegen. Nu Marjolein een oogje
op hem heeft, ontmoet ze hem bijna dagelijks. Bizar!

Fedor stapt van zijn fiets en vraagt geïnteresseerd hoe het met haar gaat.

'Prima. Met jou?'

'Kan niet beter! Ik ga naar de sporthal. Er is een volley-baltoernooi.'

'Speel je zelf?'

'Nee, ik ben toeschouwer. Marjolein vroeg me of ik wilde komen. Ze hebben supporters nodig. Haar buurmeisje zit in het team.'

'Je had niets beters te doen,' plaagt ze.

'Niet echt,' geeft hij toe.

Het is Marjolein gelukt om Fedor naar de sporthal te krij-gen! Het zegt nog niets, maar Chrissy hoopt dat Marjolein straks inziet dat de ruzie volkomen belachelijk is.

Iemand fiets hard voorbij.

Het is Marjolein.

Oh, wat vreselijk.

'He, Marjolein!' roept Fedor verbaasd.

Marjolein hoort niets.

'Ze herkende ons niet,' mompelt Chrissy die de bui al voelt hangen. 'Ga haar maar snel achterna. Ik moet de andere kant op.'

Zonder zijn antwoord af te wachten fietst Chrissy bij hem weg.

Als ze even later achterom kijkt, ziet ze het tweetal tegen-over elkaar staan.

Marjolein is boos. Dat is aan haar gebaren te zien. Ze heeft weer de verkeerde conclusies getrokken!

Chrissy zucht.

Net buiten het gezellige centrum van Roosburch komt ze Sara tegen en lucht onmiddellijk haar hart.

'Stom toeval.' Sara trekt een grimas. 'Je kunt er niets aan

doen. Op één of andere manier ziet Marjolein jou als haar aartsrivaal.'

'Waar heb ik dat aan te danken?'

Sara haalt haar schouders op. 'Vergeet Marjolein!' adviseert ze.

'Dat kan ik niet.'

'Probeer de ruzie dan uit te praten.'

Chrissy rolt met haar ogen. 'Ik ga wel dansen! Dan vergeet ik alles.'

Sara haalt het briefje uit haar broekzak, waarop ze de adressen van twee families Beeckman geschreven heeft. 'Zijn we in de buurt van één van die straten?'

Chrissy knikt bevestigend. 'Er woont een familie Beeckman bij het park.'

'Zullen we daar langs fietsen?'

'Chrissy twijfelt. Wat er vroeger is gebeurd bij de familie Beeckman weet ze niet, maar ze wil niet nog meer ellende veroorzaken. Sara haalt haar over om door de straat te fietsen.

'Ik baal van Marjolein,' zucht Chrissy.

'Ik zou niet zo'n vriendin willen.'

Chrissy weet dat ze gelijk heeft. Maar een vriendschap verbreek je niet zomaar. Ze mist Marjolein.

'Ze wonen op nummer veertien,' vertelt Sara als ze door de straat fietsen.

'Er komt iemand naar buiten!' roept Chrissy verrast.

Nieuwsgierig kijken ze naar de bejaarde man die met een klein wit poedeltje over de stoep in de richting van het park wandelt.

Sara remt af. 'Zullen we achter hem aan gaan?'

'En, dan?'

'Een praatje maken.'

28

Zonder spoor

'Zou hij familie zijn?' vraagt Sara wanneer ze over het gazon gaan om de bejaarde man vanaf de andere kant tegemoet te lopen.

'Vijftig procent kans.'

Wanneer ze dichterbij komen, kunnen ze zijn gezicht beter zien.

'Barbel lijkt niet op hem.'

'Stel dat hij familie is,' fluistert Chrissy, 'welke vragen stellen we dan?'

'Dat zien we wel.'

'Let goed op wat je zegt.'

Sara werpt een afkeurende blik naar Chrissy. 'Waar zie je me voor aan?'

Dat de verdwijning van Barbel een gevoelig onderwerp binnen de familie is, begrijpt ze echt wel.

Het kleine hondje springt onverwachts tegen Chrissy's benen.

'Foei! Mag niet!' corrigeert de man.

'Geeft niets,' glimlacht Chrissy. 'Als het een Sint Bernardshond was, zou ik meer problemen hebben.'

'Bobbie behoort zich te gedragen. Hij is keurig opgevoed.'

'Bobbie. Wat een leuke naam.' Sara aait het hondje.

Chrissy's hersenen werken koortsachtig. Hoe krijgen ze deze man zo ver dat hij iets vertelt over zijn gezin?

'Bent u toevallig de opa van Jente?' Chrissy noemt zomaar een naam.

De bejaarde man kijkt haar aan. 'Ik heb geen kleinkinderen.'

Het hondje trekt aan de riem. Hij ruikt iets.

De meisjes lopen met de man en het hondje mee.

'Hoe lang woont u al in Roosburch?' vraagt Chrissy.

'Sinds mijn geboorte.'

'Dat is lang,' grapt Sara.

Het gesprek vlot niet echt.

'Uw kinderen zijn hier opgegroeid?'

De man verwondert zich over de vragen die de twee onbekende meisjes stellen. 'Ja.'

Chrissy perst haar lippen op elkaar. Op deze manier krijgen ze niet de informatie die ze graag willen.

Bij de vijver blijft de man staan.

Wat moeten ze nu doen?

'Vragen?' gebaart Sara achter de rug van de man.

Chrissy schudt verontwaardigd het hoofd.

Dan krijgt Sara een briljant idee. Ze kijkt naar Chrissy. 'Barbera?'

De man draait zijn hoofd met een ruk om. 'Heet jij Barbera?'

Chrissy begrijpt Sara's bedoeling en knikt bevestigend.

'Zullen we naar de andere kant van het park gaan?' stelt Sara voor.

'Mijn dochter heet ook Barbera,' vertelt de man. Zijn hoofd zakt naar beneden, totdat de kin zijn borst raakt.

'Leeft uw dochter niet meer?'

'We hebben geen contact meer. Ze is verdwenen.'

De meisjes staren hem aan.

Hij loopt een paar stappen naar voren en neemt plaats op de houten bank. Het hondje gaat naast hem in het gras liggen.

Chrissy en Sara blijven staan.

'Ze was tweeëntwintig.'

'Is er iets ergs gebeurd?'

'Ik denk dat ik weet wat er gebeurd is.' Hij tilt zijn hoofd op en kijk de meisjes aan. 'We waren er van overtuigd dat we haar een prachtige toekomst konden geven. Alle ouders willen het beste voor hun kinderen. Wij ook. Maar haar droom was anders dan de onze.'

Sara gaat met een gefronst voorhoofd naast de man op de bank zitten.

Chrissy blijft staan.

'Hoe bedoelt u dat?' vraagt Sara wanneer de stilte lang aanhoudt.

'Barbera kon goed dansen en zingen. Vooral klassiek. Haar stem was prachtig. Met zo'n uitzonderlijke stem moet je wel verder gaan met zingen. Op aanraden van ons ging ze naar het conservatorium en won enkele prestigieuze prijzen. Het ging geweldig met haar zangcarrière.' Hij haalt diep adem en richt zijn blik op de vijver.

'Zij vond het niet leuk?' vraagt Chrissy zacht.

'We hebben aanwijzingen dat ze niet gelukkig was met haar carrière.'

'U wist dat niet?'

'Later hoorden we van anderen dat haar hart naar dansen uitging. Had ze het maar gezegd. Ze was heel getalenteerd en mocht met een groot operagezelschap uit Nederland rondtoeren in het buitenland. Ze schreef wekelijks enthousiaste brieven uit Duitsland, Zwitserland en Oostenrijk. Opeens hield dat op. De postbode bracht niets meer. Een week later hoorden we dat ze was verdwenen zonder een spoor na te laten. Dat ze niet eerlijk kon zijn, heeft ons veel verdriet gedaan.'

Chrissy en Sara wisselen een blik van verstandhouding.

'Heeft ze geen brief gestuurd?'

'Helemaal niets. De mensen van het operagezelschap waren ontdaan. Zij begrepen het ook niet. We hebben sinds achttien jaar niets meer van haar gehoord. De politie in Duitsland heeft gezocht, maar zonder resultaat. Mijn vrouw en ik hebben het gevoel dat ze nog leeft. Mensen van het operagezelschap moeten haar geholpen hebben om te verdwijnen. Mijn zoon Nico...' Hij onderbreekt zichzelf als het hondje tegen voorbij zwemmende eenden blaft.

Chrissy schraapt haar keel. 'Wat is haar achternaam?'

Hij probeert Bobbie tot bedaren te brengen. 'Beeckman. Vorige week zag mijn zoon een vrouw die op Barbera leek. Toen ze merkte dat hij naar haar keek, schrok ze.'

'In Roosburch?' Met moeite weet Sara haar opwinding te verbergen.

'Ja. Hij rijdt nu elke dag rondjes door de stad.'

'Zou u haar graag willen ontmoeten?'

Er verschijnt een brede glimlach op het gezicht van de oude man. Wat denk je?!'

Sara en Chrissy wisselen een blik van verstandhouding.

Nadat Bobbie een aai over zijn kop heeft gekregen, wensen de meisjes hem sterkte en gaan naar hun fietsen.

Barbera Beeckman alias Barbel Schmidt is dus gesignaleerd in Roosburch!

'Wat wil je doen?' fluistert Sara.

'Dansen!' antwoordt Chrissy nuchter.

'Nu?!'

'We moeten nadenken.'

'Wij hebben de brief, die nooit bij de ouders van Barbel terecht is gekomen.'

'Weet ik!'

'We kunnen de brief geven.'

'Nee!'

'We willen toch…?'

Dat is onze zaak niet,' onderbreekt Chrissy. 'We moeten iets anders bedenken om hen met elkaar in contact te brengen.'

'Hoe?'

'Eerst dansen,' zegt Chrissy lachend

29

Plan

Sara vindt het maar moeilijk te begrijpen dat Chrissy nu wil dansen, terwijl ze een belangrijke ontdekking hebben gedaan.

'Zoiets noem je discipline!' legt Chrissy uit. 'Wat er ook gebeurt, de dingen die ik wil doen, doe ik.'

Natuurlijk denken ze allebei aan het echtpaar Beeckman die hun dochter al achttien jaar missen.

Uit de woorden van meneer Beeckman blijkt dat hij vermoedt waarom Barbera plotseling uit hun leven verdwenen is. Hij deed uitspraken die de meisjes aan het denken hebben gezet:

Ik denk dat haar droom anders was dan de onze. Met zo'n uitzonderlijke stem moet je wel verder gaan met zingen. Op aanraden van ons ging ze naar het conservatorium. We hebben aanwijzingen dat ze niet gelukkig was met haar carrière. Had ze dat maar gezegd.

'Het is alsof hij ons wilde vertellen dat hij spijt had van bepaalde dingen,' peinst Chrissy.

'Het zou gaaf zijn als ze elkaar ontmoeten.'

'Wie zegt dat Barbel dat wil?'

Sara denkt na. 'Je hebt gelijk. Ze wil dat niet. Anders had ze haar ouders wel opgezocht.'

'Ze weet dat ze herkend is.'

'Door haar broer.'

'Wonderlijk hoe nu alles als puzzelstukjes op hun plek vallen.'

Druk pratend zijn ze bij het huis van Chrissy aangekomen. Op de eerste etage wordt een dakraam opengeduwd. 'O, jullie zijn het!' roept Robin. 'Ik schrok. Het leek alsof er plotseling duizend op hol geslagen kakelende kippen in onze tuin rondliepen.'

'Dag broertje!' Chrissy reageert niet op zijn grappige opmerking. Haar gedachten zijn bij andere dingen. 'Waarom heeft ze de brief niet gewoon per post naar haar ouders verstuurd? Waarom heeft Barbel de afscheidsbrief in de zoom van haar operajurk genaaid?'

Sara zucht. 'Dat moet je mij niet vragen. Het liefst ga ik bij haar op visite en stel al die vragen aan haar.'

Als het tweetal de keuken binnenkomt, wacht Robin hen al op. 'Pap en mam zijn net weg. Ze maken een wandeling.'

'Wat ga jij doen?'

Robin haalt zijn schouders op. 'Misschien een film kijken.'

'Niet in de zitkamer! Sara en ik willen oefenen.'

'Daar mogen even geen pottenkijkers bij?'

De meisjes schudden tegelijk het hoofd.

Robin wordt mopperend verbannen naar zijn kamer.

Ze oefenen zonder muziek het begin van de pas geleerde dans.

'Je staat niet goed.' Volgens Chrissy moeten ze vanuit de Flatback positie beginnen.

Sara verandert haar houding. 'Beter?'

'Jouw rug is te bol.' Chrissy neemt een aanloop en springt met gespreide benen over haar heen. Terwijl ze met twee handen nadrukkelijk de bolle rug naar beneden drukt, raakt haar rechtervoet een klein tafeltje waarop een antieke schemerlamp staat die gevaarlijk begint te wiebelen. Ze duikt voorover en grijpt net op tijd de voet van de schemerlamp vast.

Sara applaudisseert gierend van het lachen. 'Wat een redding.'

'Ik ben een ervaren stuntvrouw.'

'Is het een dure lamp?'

'Nogal.'

'We beginnen opnieuw,' kondigt Sara aan en neemt de eerste positie in.

Chrissy staat twee meter bij haar vandaan. Opeens schiet haar te binnen dat ze niet met een Flatback moeten beginnen, maar met een licht gebogen rug. Sara stond dus goed. 'Zie je wel,' lacht ze. 'Ik wist zeker dat ik het goed onthouden had dat ik net zo moest staan als bij het bokspringen.'

'Sorry, ik ben in de war.'

'Zullen we het begin doorspreken?'

'Dat is veiliger,' beaamt Chrissy met een schuine blik naar de schemerlamp. Ze schraapt haar keel. 'Je begint vanuit de 'bokspring' positie!'

Opnieuw schieten ze in de lach en kijken naar de grote schemerlamp.

'Na de beginpositie moet je uitstappen en dan maak je een Pas de Bourré.'

'Pas de Bourré?'

'Drie stappen.' Chrissy doet het voor. 'Achter, achter, voor. Je kunt ook zeggen kort, kort, lang.'

'We beginnen met de bokspring positie, dan de Pas de Bourré,' herhaalt Sara omdat Franse woorden zo mooi klinken.

Chrissy gaat verder. Na de Pas de Bourré komt een Pirouette, gevolgd door een Mambo achter. 'Dan even rust. Een Flatback, kniebuig en Scoop. En, rust. Sluit aan.'

'Je vergeet het tellen.'

'Hoeveel tellen waren het? Weet je dat nog?'

'Drie keer acht. Samen vierentwintig.'

'Zo is het te ingewikkeld voor mij,' zucht Chrissy.

'Als het ons lukt, stoppen we dan?'

'Stoppen? We oefenen tot diep in de nacht.'

Chrissy en Sara staan in een rechte lijn naast elkaar in de beginpositie.

Sara telt af. 'Eén, twee, drie.'

Ze beginnen tegelijk.

'Achter, achter, voor,' mompelt Chrissy.

Ze oefenen meer dan een uur.

'Ik heb heerlijk gedanst,' zegt Chrissy wanneer ze in de keuken twee glazen jus d'orange in schenkt.

'Ik ook.'

'Het werkt. Als je danst, vergeet je de rest.'

'Ik ben Barbel Schmidt, alias Barbera Beeckman, niet vergeten hoor,' zegt Sara.

'We moeten een plan bedenken. En dat is lastig. Mag ik het briefje met die adressen?' Chrissy wacht totdat Sara het aan haar gegeven heeft. Ze kijkt naar het adres van de andere familie Beeckman. 'Dat moet haar broer zijn. Hij denkt dat hij haar gezien heeft en zoekt dagelijks, in de hoop dat hij de vrouw zal vinden. We zouden naar hem toe kunnen gaan. Het is beter dat hij beslist wat het beste is.'

'Er is een probleem,' zegt Sara. 'Barbel wil geen contact.'

'Dat blijkt uit alles,' beaamt Chrissy in gedachten.

'Misschien kunnen we samen een plan bedenken. Barbel is gastdocent. Ze ontwikkelt met een paar groepen een korte dans. Voordat ze weggaat, komt er een voorstelling. Als we nou regelen dat de ouders en broer van Barbel in de zaal zitten...?'

'En, dan?'

'Dat hangt van hen zelf af.'

'Je wilt het een kans geven.'

'Jij niet?'

'We zorgen dat de familie uitgenodigd wordt. De familie Beeckman moet de rest doen.'

Sara klakt met haar tong. 'Plan goedgekeurd!'

30

Bezoek

Het is maandagochtend. De wekker maakt een indringend geluid.

Met moeite kan Chrissy zich losmaken van een vreemde droom. Ze zwaait haar benen over de rand en blijft nog even zitten.

De droom speelde zich af in een grote Amerikaanse stad.

Op het dak van een bekende filmstudio was een podium gebouwd. Er werd een videoclip van een bekende band gemaakt. Chrissy en Sara waren na drie selectierondes uitgekozen voor de dansact. De meisjes kregen de opdracht om verschillende dansstijlen uit te voeren. Dat was lastig. Ze wisten niet wat ze precies moesten doen. Er ontstond enige paniek. Opeens kwam Barbel via de brandtrap het dak op. Chrissy vloog haar van pure dankbaarheid om de hals.

'Je komt op het juiste moment,' fluisterde ze in Barbels oor. 'We kunnen alleen maar balletpasjes, maar moeten moderne dansstijlen met elkaar mixen. Dat kunnen we nog niet. Maar dit is de ultieme kans om door te breken in de danswereld. En, kansen moet je grijpen. Wil je ons helpen?'

Barbel vertelde dat ze niet lang kon blijven omdat ze met de trein naar Duitsland moest. 'Ik word achtervolgd. Daarom ben ik via de brandtrap naar het dak van de studio geklommen.'

De regisseur gaf Barbel een parachute en een glas champagne. Hij zei dat ze een uur de tijd had om Chrissy en Sara instructies te geven. 'Tijd is geld. We kunnen niet te lang wachten!'

Barbel nam hen mee naar het achterste deel van het dak. Beneden in de diepte zagen ze kleine stipjes. Dat waren auto's. Mensen waren vanaf die hoogte niet met het blote oog waar te nemen. Ze

trainden hard. Het uur leek maar niet voorbij te gaan. Dus was er genoeg tijd om veel te leren. Barbel was tevreden. De regisseur ook. Hij riep iedereen bij elkaar. De opnames zouden beginnen. Op dat moment vloog er een klein vliegtuigje over het gebouw met daarachter een strook tekst.

CHRISSY, HET SPIJT ME

Chrissy's ogen puilden bijna uit haar oogkassen toen ze het las.
Marjolein wil het goedmaken!
Woow!
Het vliegtuig bleef rondcirkelen, tot ergernis van de anderen. Chrissy zwaaide naar Marjolein die lachend haar hand op stak. De mensen van de filmploeg probeerden de piloot duidelijk te maken dat hij weg moest gaan. De piloot reageerde niet en Marjolein bleef lachen.
Zou het vliegtuigje met opzet boven het gebouw vliegen om de opnames te verstoren?
Probeert Marjolein op die manier haar danscarrière te dwarsbomen?
Terwijl het vliegtuig naar links overhelde, blafte ergens een hondje.
De poedel van Beeckman!
'Koest!' hoorde ze Stefan roepen.
Het witte hondje plaste tegen een boom waarin 'Barbera Ballerina' stond gekerfd.
Barbel rende geschrokken naar de brandtrap. De regisseur greep met beide handen naar het hoofd. 'Wie kan er voor zorgen dat het vliegtuig verdwijnt?!' schreeuwde hij wanhopig.
Opeens brak de kabel waarmee de letters aan het vliegtuig bevestigd zaten. De letterstrook viel met een klap op meneer Beeckman. Het hondje jankte.
'Koest!' schreeuwde Stefan nijdig.

Toen ging de wekker.

Chrissy schudt het lange haar naar achteren. Wat deed Stefan in haar droom? Het is een leuke jongen. Vooral de combinatie van zijn lichtblauwe ogen en dat blonde stekeltjes haar. Het heeft iets stoers, maar tegelijk vertederends. Ze grinnikt. Nooit eerder heeft ze iets van 'vertedering' bij een jongen opgemerkt.

'Oppassen, Chris! Laat je niet afleiden door leuke jongens. Daar komen problemen van en dan kun je het dansen op je buik schrijven. Blijf bij Stefan uit de buurt.'

Vandaag heeft 1D les van Barbel Schmidt. Zou ze tot de herfstvakantie in Roosburch blijven?

Chrissy denkt dat ze eerder naar Duitsland terug zal gaan. Ze zullen niet te lang kunnen wachten met het ondernemen van actie.

Het gaat erom of Barbel Schmidt het contact met haar familie wel of niet wil herstellen.

Wanneer Chrissy aan haar denkt, komt ze steeds weer tot de conclusie dat Barbel een gevoelige vrouw is die respectvol met anderen omgaat.

Wat zou de reden zijn van het verbreken van het contact? Het voelt zo verdrietig...

Na het ontbijt fietst Chrissy met haar broer richting het centrum van Roosburch.

'Hoe is het met Marjolein?' vraagt hij.

Als Chrissy ergens geen zin in heeft, dan is het wel praten over Marjolein. 'Dat weet jij beter dan ik. Je ziet haar op school.'

'Ruzie nog niet bijgelegd?'

'Nee,' snauwt ze. 'Marjolein doet ontzettend kinderachtig.'

'Vrijdag zag ik haar met Fedor praten.'

'Ik hoop dat ze hem aan de haak geslagen heeft. Dan doet

ze misschien weer normaal tegen mij.'

'Jaloezie doet rare dingen met je,' grijnst hij. 'Ze is echt bang dat Fedor jou leuker vindt dan haar.'

Chrissy klemt haar kaken op elkaar. 'En, onze vriendschap dan?'

'Zal ik haar de groeten doen?'

'Nee, laat maar. Dat vat ze vast weer verkeerd op.'

Het laatste stukje naar de dansacademie fietst ze alleen. Haar aandacht wordt naar een man getrokken die zich opmerkelijk gedraagt. Hij staat naast een oude fiets en prutst aan de dynamo. Ondertussen houdt hij iedereen die hem passeert in de gaten. Chrissy heeft de man nooit eerder gezien. Hij heeft donkerblond haar dat in zijn nek opkrult. Onder zijn neus prijkt een grote snor. Hoewel ze zijn gezicht maar voor een deel kan zien, heeft hij iets bekends. De man richt zich op, zwaait zijn been over het zadel en fietst richting het centrum van Roosburch.

Chrissy rijdt de binnenplaats op. Net voordat ze de hoek omgaat, kijkt ze nog eenmaal om en ziet dat de man weer naast zijn fiets staat.

Wacht hij op iemand?

Haastig stalt ze haar fiets in het rek en loopt het gebouw door naar de kleedkamer.

Sara is er al.

'Heb jij die man met die oude fiets gezien?'

Sara schudt haar hoofd. 'Een potloodventer?' plaagt ze.

'Er was iets...'

Barbel Schmidt is al in de oefenruimte bezig. Ze speelt piano en knikt tegen haar leerlingen wanneer ze de zaal binnendruppelen. Als ze dertien kinderen telt, sluit ze de klep na een prachtig slotakkoord. Ze doet haar witte jasje uit en gooit dat op een stoel die langs de kant staat.

'Klaar voor de warming up?'

Natuurlijk. Alle leerlingen hebben zin in dansen.

Iemand tikt zacht op de deur.

Barbel kijkt om. 'Ja?'

Het is de vrouw van de administratie. 'Er staat een bezoeker bij de balie. Hij wil jou graag spreken. Het is dringend,' vertelt ze in het Duits.

Barbel vertelt haar leerlingen met welke oefeningen ze moeten beginnen. 'Ik ben over vijf minuten terug.'

Chrissy wacht totdat Barbel de deur achter haar heeft dichtgetrokken. Dan staat ze op.

'Wat ga je doen?' vraagt Sara nieuwsgierig.

'Naar de wc.'

'Is er iets?'

Sara krijgt geen antwoord. Chrissy haast zich naar de kleedkamer en holt door de gang naar de receptie. Ze houdt haar pas in als Barbel plotseling stilstaat. Ze kijkt naar de man bij de balie. Hij ziet haar niet.

Chrissy herkent hem meteen. Het is de man die in de buurt van de academie met die oude fiets stond te wachten. Ze drukt zich tegen de muur wanneer Barbel haastig terug loopt.

Wie is die bezoeker?

31

Iets proberen

De man trommelt zacht met zijn vingers op de balie terwijl hij de omgeving aandachtig in zich opneemt. Hij is gespannen.

Chrissy drukt haar rug tegen de koude muur.

De vrouw van de administratie praat met hem en loopt opnieuw naar de oefenruimte.

Vier minuten later komt ze hoofdschuddend terug. 'Kunt u aangeven welke dansdocent u zoekt?'

'Mag ik de lijst met namen nog eens zien?'

Met tegenzin wordt de lijst over de balie naar hem toe geschoven. 'De lijst is niet volledig. Er missen twee namen van buitenlandse gastdocenten.'

'Eén daarvan is een vrouw met blond haar?'

De vrouw van de administratie aarzelt.

Wat wil die man?

'Meneer, zoals ik al zei, het gaat niet lukken. Ze geeft les en vraagt of u uw telefoonnummer achter wilt laten. Misschien dat ze u aan het eind van de ochtend belt. Ze is Duitse.'

Hij wacht totdat hem een pen en papier aangereikt wordt. 'Ik wil haar graag spreken. Het is belangrijk.'

Chrissy houdt haar adem in. Hij wil Barbel spreken!

Hij bedankt de vrouw en ritst zijn jas dicht. Na een snelle blik opzij, maakt hij aanstalten weg te gaan. Hij schenkt geen aandacht aan Chrissy die onopvallend tegen een pilaar geleund staat.

'Wat was uw naam?' vraagt de vrouw vannachter de balie.

'Beeckman.'

Chrissy voelt de adrenaline door haar lijf gaan. Dit moet

haar broer zijn! De andere Beeckman! Hij is haar op het spoor.

Ze doet haar ogen dicht en denkt na. Ze heeft nu de kans om uit te leggen wat Sara en zij ontdekt hebben. De vraag is: brengt ze Barbel daarmee wel of niet in de problemen? Chrissy kijkt om zich heen. Als ze ziet dat niemand op haar let, spurt ze langs de balie en volgt de man die niets-vermoedend in de richting van de uitgang wandelt.

'Meneer Beeckman,' hijgt ze als ze hem op een meter of vijf genaderd is.

Hij draait zich om en neemt het meisje met blond golvend haar nieuwsgierig op.

'Ik denk dat ik weet wie u zoekt.'

'Dat lijkt mij onwaarschijnlijk,' glimlacht hij.

'Uw zus.'

Zijn mond zakt open van verbazing. 'Hoe weet jij dat?'

'Dat is een heel verhaal.'

'Is ze hier?'

De vraag overrompelt Chrissy. Ze loopt naar hem toe om tijd te rekken. 'Ik weet waar ze is.'

'Ben je haar dochter?'

'Nee.'

'Wat weet je van haar?'

'Ze wil u niet ontmoeten.'

'Ze is in Roosburch?!' Hij lacht. 'Zie je wel. Dan heb ik haar gezien. Ik denk dat ze wel met mij wil praten.'

Chrissy haalt haar schouders op. 'Hebben uw ouders vroe-ger een afscheidsbrief ontvangen?' vraagt ze behoedzaam.

De man is zichtbaar aangedaan nu hij vrijwel zeker weet dat hij zijn zus werkelijk gezien heeft. Zijn zoektocht is niet voor niets geweest. 'Een afscheidsbrief? Niemand heeft ooit een bericht van haar ontvangen. Destijds heeft de politie navraag gedaan bij het operagezelschap. Zij hebben haar geholpen met verdwijnen. Tenminste een paar mensen. Dat moet haast wel. Gaat het goed met haar? Is ze op de dansacademie?'

Chrissy negeert zijn vragen. 'Misschien kan ik iets bedenken om een ontmoeting voor u te regelen.' Ze begrijpt dat hij graag zijn zus wil ontmoeten. Hij heeft haar achttien jaar niet meer gezien.

'Is ze hier?' Hij klinkt opgewonden.

'Nee,' antwoordt ze zonder blikken of blozen. Het is geen leugen, want Barbel Schmidt staat niet in de gang.

'Vertel me alsjeblieft waar ik haar kan vinden. Ik heb vanochtend op de uitkijk gestaan en meende dat ik haar bij iemand in een auto voorbij zag komen. Ze is niet veel veranderd. Ze droeg een zonnebril, daardoor kon ik het niet goed zien.'

'Ik wil iets proberen,' mompelt Chrissy.

'Geef mij haar adres.'

'Ze wil haar familie niet ontmoeten.'

Gespannen wrijft de man over zijn kaak. 'Er is nooit ruzie geweest. Ik zou niet weten waarom ze dat niet wil. Ik ben haar broer.'

Chrissy beseft dat ze in een bizarre situatie is geraakt.

Ze haalt diep adem. 'Ik zou u alles willen vertellen, maar eigenlijk vind ik dat ik me hier niet mee mag bemoeien. Ik wil iets proberen.'

'Wat betekent 'iets proberen'?'

'Dat u haar kunt ontmoeten.'

'Ik denk dat ze hier op de dansacademie is. Ze hield van dansen. Dat kon ze goed.'

'Als ik meer weet, zal ik u bellen.'

De man wil nog wat zeggen, maar beseft dat Chrissy niet

te vermurwen is en de verblijfplaats van zijn zus niet zal prijsgeven.

Hij geeft haar zijn telefoonnummer. 'Je begrijpt dat het heel belangrijk is?'

'Zeker weten!'

'Als ik iets kan doen...?'

'Dan hoort u van me.'

Chrissy verbaasd zich erover dat ze in staat is zo afstandelijk te reageren, terwijl de zenuwen toch echt door haar lijf gieren.

Het is wel moeilijk, want ze hebben achttien jaar in onzekerheid geleefd! Achttien jaar iemand moeten missen waar ze van houden.

Wat kan ze verzinnen om een ontmoeting te organiseren?

'Duurt het lang?'

'Ik doe mijn best om u vandaag te bellen.'

Ze neemt afscheid en benadrukt er alles aan te doen om Barbel in contact te brengen met hem.

Chrissy wacht totdat ze de broer van Barbel over de binnenplaats weg ziet fietsen. Dan gaat ze terug naar de kleedkamer. Ze pakt een elastiekje uit haar tas en draait dat in het haar. Dat was ze zojuist vergeten.

Uit de danszaal klinkt muziek.

Wanneer Chrissy de zaal binnenkomt, kijkt iedereen haar aan.

'Waar bleef je?' vraagt Stefan. 'We werden ongerust.'

'Zat je opgesloten in het toilet?' giechelt Vera.

'Ik voelde me een beetje misselijk,' liegt ze.

'Mag ik je mobiele nummer?' fluistert Stefan.

Chrissy staart hem verrast aan en knikt. 'Is goed.'

'Mobiele controle!' Hij schenkt haar een brede glimlach. 'Voor het geval je weer eens zo lang wegblijft.'

32

Vleugelvoeten

Chrissy geeft geen uitleg maar gaat naast Sara staan en doet met de warming up mee.

Barbel maakt een onrustige indruk.

Chrissy is de enige die weet dat toen ze haar broer bij de balie zag snel naar de zaal terugging.

Was het een schrikreactie?

Na de warming up vraagt Barbel opnieuw een kring te vormen.

Barbel weet klas 1D te boeien.

'Ik dans al vanaf mijn vierde,' vertelt ze wanneer ze achter de piano gaat zitten. 'We woonden naast een gebouw waar dansles gegeven werd. Ik klom in een boom en keek door de ramen. Week in week uit. Ik kende de dagen van de week niet, maar wist wanneer het 'balletdag' was. Dan zat ik in de boom. Op mijn vierde werd ik officieel voor balletles opgegeven en vond het prachtig om steeds moeilijker dingen te leren. Ik zwierde het liefst door grote zalen. Wat ik heel spannend en vooral uitdagend vond, was het moment rond mijn twaalfde dat ik op spitzen mocht. Dansen op spitzen is natuurlijk ontzettend moeilijk en doet pijn, maar het hoort wel bij klassiek ballet. De meesten van jullie hebben klassiek ballet gedaan.' Barbel kijkt naar de kinderen.

Er klinkt een instemmend gemompel.

'Klassiek ballet is denk ik de moeilijkste vorm van dansen. Het bevat veel techniek die je elegant en soepel moet proberen uit te voeren. De techniek die je bij klassiek ballet leert, vormt ook de basis voor de andere dansstijlen. Maar bij jazz en moderne dans kun je die losser uitvoeren. Ik vertel de meeste van jullie geen nieuwe dingen,' voegt ze er glimlachend aan toe. 'Dansen is heel bijzonder. Je geeft alles van jezelf.'

Het is doodstil in de danszaal.

'Begrijpen jullie wat ik bedoel?'

'Dansen komt uit het gevoel,' zegt Sara.

Barbel knikt. 'Dat lijkt logisch, toch is het een kunst om dansen op die manier te ervaren. Dat wil ik jullie vandaag laten ervaren. We doen geen ingewikkelde passen en sprongen. Iedereen kiest voor zichzelf bepaalde bewegingen die hij of zij zonder nadenken kan dansen. Dan gaat het er om of je vanuit jouw gevoel durft te dansen. Misschien denken jullie, dat het makkelijk is. Ik weet dat het moeilijk is. Je moet je heel kwetsbaar opstellen wanneer je vanuit je innerlijk danst. Als je dat durft en kunt, dan dans je echt. Dan hebben voeten vleugels gekregen. Alles wat ik nu verteld heb, vat ik met een zelfbedacht woord samen: vleugelvoeten.'

Chrissy is onder de indruk van deze woorden. Ze begrijpt wat Barbel bedoelt.

'Zoek allemaal een plek in de danszaal. Neem een ontspannen houding aan. Let niet op anderen, maar voel jezelf. Voel je voeten op de grond. Voel de lucht om je heen. Ik ga piano spelen. Dan mogen jullie improviseren. Het kan gebeuren dat ik opeens een andere melodie ga spelen. Luister dan naar je gevoel en laat je inspireren door jezelf. Begrijpen jullie de bedoeling?'

'Ja,' antwoordt Rachid.

'Moeilijk,' mompelt Quinty.

'Jezelf durven zijn is heel moeilijk,' beaamt Barbel knipogend. 'Het is de moeite waard om het te proberen!'

Hoewel het Duits steeds minder een belemmering lijkt,

storen Chrissy en Sara zich aan het feit dat ze Duits blijft spreken. Barbel wil haar Nederlandse afkomst koste wat het kost verzwijgen.

Chrissy en Sara lopen naar de andere kant van de zaal en zoeken een plek in de buurt van het raam.

'Nog misselijk?'

Chrissy kijkt verwonderd opzij. 'Misselijk?'

'Je was toch misselijk?'

'Nee,' fluistert ze. 'Ik ontdekte iets. Toen kon ik niet terug naar de danszaal. Vertel het je later wel uitgebreider. De broer van Barbel is haar op het spoor.'

'Wat?!'

'Hij stond bij de balie en wilde haar graag spreken. Hij wist niet zeker of ze zijn zus is, omdat ze een andere naam heeft.'

'Zijn de dames klaar?' vraagt Barbel.

Ze knikken en nemen hun positie in.

Sara doet een paar passen opzij. 'Weet Barbel het?'

'Ja. Ze zag hem staan en ging toen snel terug. Ze wil hem niet spreken. Ik heb tegen haar broer gezegd dat ik mijn best zou doen.'

'Heb je verteld wie ze is?'

'Hij heeft haar herkend, maar twijfelde omdat ze een zonnebril droeg.'

'We gaan dansen!' kondigt Barbel aan en kijkt daarbij nadrukkelijk in de richting van Sara en Chrissy.

'Als je oplet, zie je dat Barbel onrustig is. Ze kijkt steeds naar de deur. Ze is bang dat haar broer onverwachts binnenstapt.'

Barbel zit roerloos en met gesloten ogen achter de piano. Langzaam tilt ze haar handen op. Dan vult de grote ruimte zich met prachtige pianomuziek.

Voor de meesten voelt het vreemd om zomaar in je eentje, tussen de anderen te dansen. In een normale situatie doen ze het ook, maar dan dansen ze allemaal dezelfde dans. Nu moeten ze improviseren.

Een paar minuten later is iedereen bezig met zijn eigen dans, zonder de ander in de gaten te houden.

Barbel speelt vijftien minuten onafgebroken en geniet van de kinderen die langzaam uit hun schulp kruipen en vanuit hun innerlijk durven te dansen. Als haar handen van de toetsen glijden, wordt het heel stil.

'Dit was prachtig,' vertelt ze zacht. 'Jullie voeten kregen vleugels.'

'De volgende keer moeten alle ramen dicht,' grapt Coen.

'Waarom?' Barbel begrijpt zijn opmerking niet.

'Anders vliegen we weg,' gebaart Coen.

Barbel lacht.

Ze blijft de deur in de gaten houden.

Na een korte pauze, stelt Barbel voor om verder te gaan met de andere dans. 'Aan het eind van de les wil ik van iedereen graag zien wat je zojuist gedanst hebt.'

'Dat herinner ik me niet meer!' roept Elmy paniekerig.

'Wel, als je opnieuw vanuit je gevoel danst.'

De leerlingen van groep 1D formeren zich en wachten tot Barbel de cd opzet.

Ze beginnen ongelijk.

'Dat betekent dat jullie je de muziek niet eigen maken.'

'We kunnen niet alles tegelijk,' moppert Quinty.

'Aan de muziek kun je horen wanneer je moet beginnen. Ook dat is een kwestie van training.'

'Dat is waar,' geeft Vera toe.

'Dus...'

Vera kijkt niet begrijpend naar Barbel. 'Dus?' herhaalt ze.

'Is oefenen belangrijk!' lacht Sara.

'Ik snap het,' grinnikt ze.

'Het zal nog wel even duren voordat we vleugelvoeten krijgen.'

33

Ontknoping?

Na afloop van de vermoeiende les loopt Sara naar Barbel om een praatje te maken.

'Ik heb niet veel tijd,' verontschuldigt Barbel zich terwijl ze nerveus over het hoofd van Sara naar de deur kijkt.

Chrissy, die op een kleine afstand staat te wachten, begrijpt dat Barbel bang is dat haar broer plotseling voor haar neus zal staan.

'Ik hoop dat ik later net als u van dansen mijn beroep kan maken en beroemd wordt,' vertelt Sara.

'Dat zijn twee verschillende dingen,' antwoordt Barbel. 'Dansen én beroemd worden. Wat wil je het liefst?'

Sara denkt na. 'Dansen.'

'Dat betekent veel oefenen.'

Sara zegt dat ze dat ook van plan is.

'Heb je de kwaliteiten die daarvoor nodig zijn? Anders red je het niet.'

'Hebt u andere tips voor mij?'

Chrissy aarzelt. Zal ze er bij gaan staan om het gesprek een andere wending te geven? Tenslotte willen ze uitpluizen wat er precies aan de hand is.

Barbel is gespannen en heeft geen zin om uitvoerig op Sara's vragen in te gaan.

Wat zou er gebeuren als Chrissy vertelt dat ze haar broer bij de balie heeft gezien?

'Mag ik eerlijk zijn?' Barbel kijkt Sara ernstig aan, terwijl ze tegen de deurpost van haar kleedkamer leunt.

'Ja, dat mag,' mompelt Sara met een zenuwachtig lachje.

'Jij hebt geluk gehad dat je aangenomen bent.'

Voor de dansacademie?' Sara's keel wordt langzaam dicht-geknepen door een onzichtbare hand. 'Wat bedoelt u?'
Barbel legt geruststellend haar hand op Sara's schouder. 'Op één of andere manier merk ik verschil met de anderen, wat het dansen betreft. Jouw techniek is niet goed ontwikkeld. Jouw talent is groot. Dat heeft de beoordelingscommissie tijdens de auditie gezien. Ik vermoed dat jij vroeger ver-keerde instructies gekregen hebt.'
'Ik heb mijzelf veel aangeleerd.'
'Zoiets dacht ik al. Je moet weer terug naar de basis en heel veel oefenen. Begin met eenvoudige balletoefeningen. Enkel en alleen om de techniek beter te beheersen. Anders loop je het gevaar dat jouw talent jouw vijand wordt. Dan gaan dingen niet goed.'
Sara slikt. Niet alle Duitse woorden begrijpt ze, maar de strekking van Barbels verhaal wel! Ze vindt het niet leuk en Barbels opmerking maakt haar onzeker.
Eigenlijk ging ze er van uit dat ze goed was, omdat men haar een talent vindt.
Alle dertien van groep 1D zijn getalenteerd. Anders word je niet toegelaten op Dans Academie Roosburch. Dat haar techniek niet goed is, verontrust Sara. Ze heeft vaak gehoord dat het moeilijk is zelf aangeleerde dingen weer af te leren.
Barbel ziet teleurstelling in Sara's ogen. Ze lacht haar bemoedigend toe. 'Je doet het goed. Dat is belangrijk! Zorg voor discipline. Als je wilt dansen, mag je nooit je droom opgeven.'
Sara knikt begrijpend. De boodschap van Barbel is duidelijk.
'Je komt er wel. Iedereen zoekt zijn eigen weg. Dat is dan ook de beste weg.' Barbel steekt haar hand op naar Chrissy die op een paar meter afstand is blijven staan.

'Nooit opgeven, Sara.'

Sara draait zich om.

'Een hele preek,' zegt Chrissy zacht.

'Heb je alles gehoord?'

'Yep.'

'En?'

'Wat, en?'

'Wat ze zei over mijn techniek.'

'Is positief bedoeld.'

'Leuk is anders.'

'Ze gaf je advies. Daar vroeg je om.'

'Vind je mijn danstechniek ook niet goed?'

'Nooit op gelet.'

'Bullshit.'

'Niks bullshit. Er is me nooit iets opgevallen.'

'Ben je eerlijk?'

'Ja. Ze vertelde gewoon waar je aan moet werken.'

'Ik ben dus niet goed.'

'Crisis!' Chrissy zucht. 'Doe niet zo depri.'

'Vrolijk doen lukt even niet. Sorry.'

Na het douchen lopen ze zwijgend naar een ander deel van het gebouw voor biologieles.

Chrissy merkt dat Sara stiller dan normaal is en probeert haar gerust te stellen. 'Niet over die techniek inzitten.'

'Over jou zei ze niets.'

'Ik heb niets gevraagd.'

'Misschien moet ik van de academie af.'

'Hoe kom je daar bij. Je danst goed.'

'Ik denk dat ze mij wilde voorbereiden op slecht nieuws.'

'Welk nieuws?'

Dat ik naar een andere school moet.' Sara slaakt een zucht.

'Ik vind er niks meer aan.'

'Je laat de moed toch niet zakken?' Chrissy neemt haar verbaasd op. 'Oké, het voelt rot. Maar ik blijf er bij dat Barbel het positief bedoelde. Ze heeft er verstand van en is kritisch. Ze adviseert om op de techniek te letten. Daar is toch niks mis mee?'

Sara maakt een afwerend gebaar met haar hand. 'Laat maar.'

Chrissy begrijpt dat opvrolijken niet helpt. Voor Sara is Barbels opmerking over haar danstechniek een flinke domper. Zelf zou ze dat ook op die manier ervaren. Je wilt het liefst positieve dingen over jezelf horen.

Waarom eigenlijk?

'Vraag welke oefeningen je het best kunt doen.'

'Dat heeft ze gezegd. Bij de basis beginnen; met ballet!'

'Dat kan toch samen.'

'Jij en ik, samen oefenen?'

'Als je het leuk vindt.'

'Ik wel,' glimlacht Sara.

Chrissy ziet iemand haastig vanuit de zijdeur naar de binnenplaats lopen. Ze gaat snel naar het raam. 'Wie is dat?'

'Barbel.'

Ze zien Barbel schichtig achterom kijken voordat ze de binnenplaats oversteekt.

'Heeft ze vrij?' vraagt Sara.

'Ik heb op het prikbord gelezen dat ze vanochtend examenstudenten lesgeeft.'

'Ze smeert hem.'

'Bang voor de ontmoeting met haar broer?'

'Zullen we haar volgen?'

'We moeten naar les...'

'We melden ons ziek bij de administratie.'

'Ik weet niet of dat verstandig is.'

'Er gaat iets gebeuren,' voorspelt Sara.

'Wat als we van de academie worden gestuurd?'

'Dat gebeurt niet. Opschieten! We verzinnen een goede smoes en gaan achter haar aan.'

34

Ontmoeting

Chrissy en Sara gooien hun tas op een rek bij de garderobe.

'Kun je toneelspelen?' vraagt Chrissy. 'Dan zeggen we dat je waarschijnlijk een beschimmelde boterham opgegeten hebt.'

Sara begint te kokhalzen en trekt daarbij de meest afschuwelijke gezichten.

'Goedgekeurd,' grinnikt Chrissy. 'Kom, we gaan.'

Terwijl ze de balie naderen, begin Sara te kokhalzen. Een vrouw met rood geverfd haar kijkt op van haar werk. Sara doet alsof ze op het punt staat om midden in de hal over te geven.

'Niet hier,' zegt Chrissy en pakt Sara bij haar arm. 'Wilt u ons afmelden voor de les. Ik ga met haar naar buiten. We zitten in klas 1D.'

Sara maakt angstaanjagende geluiden.

'Doe ik!' belooft de vrouw. 'Als ik kan helpen, dan hoor ik het graag.'

Wanneer ze buiten zijn, uit het zicht van de administratie-medewerkster, steekt Sara haar duim op.

'Perfect gedaan.'

'Alle eer gaat naar jou. Ze trapte er meteen in. Ze zag al helemaal gebeuren dat jij midden in de hal zou overgeven.'

'Waar is Barbel?'

De meisjes kijken om zich heen.

'Shit.' Sara klemt haar kaken op elkaar. Dan wijst ze naar de poort. 'We gaan die kant op.'

Ze hollen over de binnenplaats en halen opgelucht adem

wanneer ze Barbel Schmidt richting het stadscentrum zien lopen.

De twee meisjes lopen in de berm tussen de bomen door om te voorkomen dat ze door Barbel gezien worden.

Na een wandeling van bijna tien minuten, stapt ze een zijdeur binnen van een groot, somber gebouw.

Chrissy en Sara blijven achter grote coniferen staan.

Zou Barbel terugkomen?

Ze turen langs de ramen, maar zien niemand.

Sara besluit naar de deur te gaan. Misschien hangt er een naambordje. Ze willen weten wie er in dat grote huis woont.

'Het is een pension,' hijgt ze wanneer ze terugkomt.

'Dan logeert ze hier.' Chrissy denkt na.

Er stopt een taxi voor het gebouw. Tegelijkertijd stapt Barbel met bagage naar buiten.

'Ze gaat weg,' fluistert Sara verbaasd.

'Ze wil haar broer niet ontmoeten.'

'Er kan iets gebeurd zijn. Misschien moet ze direct naar Duitsland.'

'Dat zou wel heel toevallig zijn.'

Het tweetal blijft verdekt achter de coniferen staan.

'Kan ik de trein nog halen?' vraagt Barbel wanneer ze de taxi nadert.

'We doen ons best,' antwoordt de chauffeur.

'Ze praat Nederlands,' fluistert Chrissy verontwaardigd.

'Zou ze naar Duitsland teruggaan?'

'Wat doen we? Het is ongeveer een kwartier lopen naar het station,' schat Chrissy.

'Dan is zij weg.'

Chrissy klakt met haar tong. 'Niet als ze de trein mist.'

'Oké, we gokken het.'

Ze wachten totdat de taxi wegrijdt en rennen de straat uit. Onderweg stoppen ze een paar maal omdat ze last krijgen van steken in de zij.

Vlakbij het station komt de taxi hen tegemoet.

'Ze zit er niet meer in,' hijgt Chrissy.

Sara kijkt op haar horloge en doet een schietgebedje.

Een paar minuten later lopen ze het perron op.

'Yes! Trein gemist!' roept Chrissy triomfantelijk als ze Barbel Schmidt bij het raam van het kleine stationsrestaurant ziet zitten.

'Het is nu of nooit,' zegt Sara. 'We gaan naar haar toe of we gaan terug naar school.'

'Dan weten we nog niets,' peinst Chrissy.

'Dat bedoel ik.'

Het blijft Chrissy dwars zitten dat ze zich met zaken bemoeien die hun niet aangaan. Het is een privé kwestie van Barbel Schmidt. 'Ergens is het beschamend. We lijken supernieuwsgierige aagjes.'

'Dat zijn we ook.'

'Zijn jullie mij gevolgd?' vraagt Barbel in het Duits.

Geschrokken draaien Chrissy en Sara zich om. Ze hebben haar niet aan horen komen.

'Ja,' antwoordt Chrissy eerlijk.

Er valt een vreemde stilte.

'Waarom?'

'Dat is een heel verhaal,' verklaart Chrissy.

'Ik wil weten waarom.'

'We weten dat uw echte naam Barbera Beeckman is.'

Barbel kijkt de meisjes met een rustige blik aan. Ze laat niets merken.

'U zoekt een brief,' zegt Sara. 'Een afscheidsbrief voor uw familie.'

Barbels puppillen verwijden zich. Ze doet alsof ze niet begrijpt waar de meisjes het over hebben.

'De brief die u in de zoom van de jurk had gedaan,' benadrukt Sara.

Barbel sluit een fractie van een seconde haar ogen. 'Ik begrijp het niet...'

'Het is toeval dat we het ontdekten.'

Barbel zucht. 'Achttien jaar geleden besloot ik te verdwijnen en een nieuw leven te beginnen in Duitsland als Barbel Schmidt.'

'U kwam terug.'

Barbel steekt haar handen diep in haar zakken en tuurt over de hoofden van de meisjes heen naar de boomtoppen achter het station. 'Ik werd uitgenodigd om naar Roosburch te komen,' vertelt ze in het Nederlands. 'Heel bijzonder om hier uit genodigd te worden, terwijl niemand weet dat het mijn geboorteplek is. Mijn droom was ballerina worden. Ik kon ook goed zingen en won op jonge leeftijd een prijs waardoor ik aangenomen werd bij een operagezelschap. Mijn ouders vonden het geweldig en pushten mij. Met zingen zou ik veel geld verdienen en beroemd worden. Dat was ook zo. Toen ik in het buitenland was, ontmoette ik een jongen en werd verliefd. Hij voelde dat ik ongelukkig was en adviseerde me om me los te maken van mijn ouders en eigen keuzes te maken. Ik wilde dansen, niet zingen. Met hem en twee mensen van het operagezelschap heb ik mijn verdwijning voorbereid en de afscheidsbrief in de zoom van de jurk verstopt. De kleding zou terug naar Nederland gaan. De brief is nooit gevonden. Daar ging ik wel vanuit. Een naïeve gedachte van mij. Op die manier wilde ik mijn ouders geruststellen en hoopte dat ze mij met rust zouden laten. Een brief per post versturen, wilde ik niet.

Vroeg of laat zou de brief in de zoom ontdekt worden. Daar was ik van overtuigd. Het heeft me verbaasd dat nooit werd ontdekt wie ik was. Ik heb mijn haar geverfd en heb met niemand meer contact opgenomen. Toen ik vorige week in Nederland arriveerde, las ik in de krant dat het Nederlandse Operagezelschap alle kostuums van oudere producties aan de dansacademie had geschonken. Ik schrok. Stel dat de brief alsnog gevonden zou worden. Daar wil ik mijn ouders voor behoeden. Ik wil niet dat het verleden opgerakeld wordt. Hebben jullie de brief?'

Beide meisjes knikken bevestigend.

'Wilt u uw ouders en broer niet ontmoeten?'

Ze schudt het hoofd. 'Ik ben Barbera Beeckman niet meer. Het heeft me veel pijn gedaan dat mijn ouders mij niet serieus namen. Ik wilde dansen, maar leidde het leven zoals zij dat wilden. Het is ontzettend zwaar geweest om opnieuw te beginnen als danser. Ouders mogen de droom van hun kind nooit afpakken.'

'Het is u toch gelukt uw hart te volgen.'

Barbel knikt glimlachend. 'Nooit opgeven, hè?!'

Barbel Schmidt neemt de meisjes plotseling met een verwonderde blik op. 'Ik praat bijna nooit over mijn verleden en nu sta ik hier tegenover jullie mijn levensverhaal op te biechten.' Ze zet haar zonnebril af en laat die in haar handtas glijden.

Chrissy vertelt over de eerste dag op de academie. 'Sara moest zich melden op het kantoor van directeur van Oorschot. Ze was tegen de achterkant van zijn auto aangereden. Ik was aan het eind van de gang en hoorde u bellen. U sprak Nederlands.'

Barbel schudt haar hoofd. 'Ai. Daar was ik al bang voor. Ik had mijn Nederlandse jeugdvriendin aan de lijn. Met haar heb ik al die jaren contact gehouden. Zij heeft geholpen met het vinden van een pension. Af en toe bellen we met elkaar. Tijdens dat gesprek heb ik haar gezegd dat beter was om overdag niet te bellen. Met haar spreek ik Nederlands. Ik wilde geen vergissing maken. Ik heb me dus direct verraden,' voegt ze er glimlachend aan toe.

'Vanaf dat moment had ik het gevoel dat er iets niet klopte,' vertelt Chrissy. 'We hebben u in de gaten gehouden. Sara zag u later bij een boom.'

Barbel staart hen perplex aan. 'Mijn droomboom.'

'Barbera Ballerina! Zo noemde ik mijzelf in gedachten. Ik heb de boom terug gevonden.'

'De naam Barbera en Barbel lijken op elkaar.'

Barbel knikt bevestigend. 'Ik geloof dat ik negen was toen ik die naam in die stam kerfde. Ik had stiekem een zakmes van mijn vader meegenomen. Jullie zijn echt oplettend geweest.'

'Toen ontdekten we dat u geïnteresseerd was in de oude kostuums van het operagezelschap. We zaten op zolder toen u alle jurken onderzocht.'

'Onvoorstelbaar,' mompelt Barbel. 'Ik heb niets gemerkt.'

'Wilt u uw broer niet ontmoeten?'

'Hebben jullie hem ingelicht?'

Chrissy en Sara schudden tegelijk het hoofd.

'Hij heeft u gezien,' zegt Chrissy.

'Klopt. Ik was nog maar net in Roosburch gearriveerd toen hij mij en ik hem zag. Ik droeg een zonnebril. Het enige wat ik kon doen, was een steegje inlopen.

'Hij is op zoek gegaan naar u en in de academie terecht gekomen. Houdt u nog van uw ouders en broer?'

Die vraag van Chrissy overvalt Barbel. De top van haar vinger glijdt bedachtzaam over haar lippen. 'Ja.'

Chrissy en Sara wisselen een blik.

'Het is beter om ze niet te ontmoeten. Ik heb lang verdriet gehad om wat mij is aangedaan. Het heeft grote gevolgen wanneer ouders de dromen van hun kinderen afpakken. Dat was ook de reden dat ik de brief niet per post verstuurde, maar in een zoom van een jurk deed. Dan zou de brief veel later gevonden worden. Dan waren mijn sporen uitgewist. Als ze mijn bericht gewoon twee dagen later per post zouden ontvangen, zouden ze meteen komen en alles op alles zetten om mij over te halen om vooral te blijven zingen. Ik wilde eerst verdwijnen uit hun leven. Een paar mensen hebben mij geholpen. Op één of andere manier ben ik, ondanks dat ik met dansen bekend werd, nooit herkend. Niemand heeft de link gelegd tussen Barbera Beeckman en Barbel Schmidt. Eigenlijk had ik niet verwacht dat het plan zou slagen. Ik trad veel op in het buitenland. Er stonden interviews van mij in de kranten en ik was op televisie te zien. Met een andere naam en geverfd haar. Achttien jaar heeft mijn familie mij niet ontdekt. Mijn vader en moeder dachten te weten wat het beste voor mij was. Daarom pakte het verkeerd uit.'

'Hebt u kinderen?'

'Nee.'

'Reist u terug naar Duitsland?' wil Sara weten.

'Familieperikelen,' antwoordt Barbel aarzelend. 'Dat heb ik op de academie verteld. Ik wil geen ontmoeting met mijn familie. Ik wil alles laten zoals het nu is.'

'Jammer.' Sara schraapt haar keel. 'Zoals het gaat. Tussen u en uw ouders.' Sara kijkt Barbel recht in de ogen.

'Er is teveel gebeurd.'

'Als ik u was ging ik op visite.' Sara neemt Barbel afwachtend op.

'Mijn trein vertrekt over een half uur.'
'Ik heb uw broer gesproken. Bij de receptie.'
Barbel verstrakt.
'Ik heb beloofd dat ik hem terug zou bellen.'
'Waarover?'
'Of u toch nog met hem wil spreken.'
Het blijft heel lang stil.
'Komt u terug naar Roosburch?'
Barbel haalt haar schouders aarzelend op.
Sara perst haar lippen op elkaar. 'Ik zou graag met u ruilen.'
Barbels wenkbrauwen schieten omhoog. 'Waarom?'
'Mijn ouders zijn verongelukt.'
Barbel schrikt van de woorden en pakt Sara's arm. 'Het spijt me. Ik...' Ze zoekt naar woorden. 'Ruilen is zinloos, hè? Het zou voor jou niets oplossen.'
Sara haalt diep adem. Dit gesprek doet haar meer dan ze beseft. 'Nee, het verandert niets. Maar, als ik u was...'
'Ik zal er over nadenken.'
Chrissy krijgt een sms'je.

Hi Chris!
Slecht nieuws.
Met Fedor wordt het niets.
Kan ik je bellen?
Vanmiddag afspreken?
Bijpraten?
Laat maar iets van je horen.
Groetjes, Leintje.

Chrissy staart naar het verlichte schermpje en voelt verontwaardiging in haar opkomen.

Omdat het met Fedor niets wordt, mag zij weer opdraven? Alsof er niets gebeurd is?!

Barbel zegt dat ze terug gaat naar het restaurant. 'Willen jullie wat drinken?'

'We horen in de klas te zitten,' lacht Chrissy.

'Dat zijn maar theorievakken.' Barbel maakt een wuivend gebaar met haar hand. 'Dansen is veel belangrijker, toch?'

'Dacht het wel,' grinnikt Chrissy.

Verschenen titels
4-Ever Dance

Nooit opgeven!

Dans met mij!

Over de auteur

Opgegroeid in een stimulerend gezin, ervoer Henriëtte Kan Hemmink al op haar zesde de zeldzame sensatie van wat een pakkend boek met je doet. Na werk in de journalis-

tiek kwam het moeder worden en opvoeden van vier dochters. Maar schrijven is als ademhalen: ze kan niet zonder. Met haar kinderen als onuitputtelijk bron van karakters en ervaringen, ontstond een indrukwekkende reeks van kinderboeken. Geen onderwerp blijft onbesproken. Enkele voorbeelden hiervan zijn onbegrip, afreageren, dierproeven, jaloezie, verliefd zijn, een handicap hebben, de dood,

Foto: Herbert Boland

helderziend zijn, en eenzaamheid. Maar altijd is er een fantasievol, spannend en herkenbaar plot, waardoor ook moeilijke onderwerpen licht en toegankelijk worden.

En dat is ook wat Henriëtte voor ogen heeft: Wegdromen in een avontuur en daarbij toch iets hebben om over na te denken.

4Ever Dance

De serie 4Ever Dance is een prachtige gloednieuwe reeks waarin Henriëtte haar jonge lezers meeneemt in een wereld van talent en roem, maar ook afgunst en teleurstelling. Van bevlogenheid en sterk zijn, maar ook van durven stilstaan bij wat je echt belangrijk vindt en wat je echt voelt. En dat alles in de wervelende wereld van dans en muziek, waarin iedereen een idool kan worden. Of er in ieder geval van mag dromen!